NIGHT PICNIC

Journal of Literature and Art

VOLUME 3, ISSUE 2

Night Picnic Press LLC
New York, New York
June 2020

NIGHT PICNIC: Journal of Literature and Art **Volume 3, Issue 2 • June 2020**

Igor V. Zaitsev, *Editor-in-Chief, Publisher, and Founder*
Gordon Stumpo, *Managing Editor and Art Director*
Oksana Williams, *Editor*
Contact: editor@nightpicnic.net

For single print copies ($15) and digital versions ($5), please go to www.amazon.com and the Kindle store.
Subscriptions to Night Picnic Journal are $35 (3 issues), $45 for libraries. Foreign orders, please add $10. Subscriptions are only available by mail through Night Picnic Press LLC. Using the subscription form on **page 227-228**, please send checks or money orders to:

Night Picnic Press LLC
P.O. Box 3819
New York, NY 10163-3819

To ensure prompt delivery of each issue of *Night Picnic Journal*, please keep us informed of any address changes.

We are grateful for donations of any amount. They support the publication of the journal.

Night Picnic is a journal of literature and art which publishes work in both English and Russian. We accept novels, novellas, plays, short and flash stories, fairytales and fantasy for adults, poetry, interviews, essays (including popular science essays), letters to the editors, and artwork. Previously published work cannot be considered (this includes blogs, Facebook, Wattpad, etc).

Established in 2018

Published triannually in February, June, and October by Night Picnic Press LLC.

Logo design by Igor V. Zaitsev
Cover design by Gordon Stumpo
Illustrations by Eugene Voron
Printed and bound in the USA

ISSN 2639-7625 (Paperback)
ISSN 2639-7633 (eBook)

ISBN 978-1-970033-11-3 (Paperback)
ISBN 978-1-970033-12-0 (eBook)

NIGHT PICNIC • Volume 3, Issue 2 • June 2020

CONTENTS

AUTHORS AND EDITORS

SHORT STORIES

POETRY

---

* Translated by Alyona Kondratyeva
† Translated by Kamil Sariyev
‡ Translated by Igor V. Zaitsev
§ Translated by Vladimir Slovesnyy

НОЧНОЙ ПИКНИК • Том 3, выпуск 2 • Июнь 2020

СОДЕРЖАНИЕ

АВТОРЫ И РЕДАКТОРЫ

РАССКАЗЫ

ПОЭЗИЯ

* Перевод Алёны Кондратьевой
† Перевод Камила Сарийева
‡ Перевод Игоря В. Зайцева
§ Перевод Владимира Словесного

AUTHORS AND EDITORS

Cremeans, Tanner. Law student. Writer. Gem collector. Outdoor enthusiast. Cincinnati, Ohio, USA.

DellaRocca, Lenny. Founder and co-publisher of South Florida Poetry Journal *SoFloPoJo*. Published in more than 300 literary magazines. His latest poetry collection is *Festival of Dangers Ideas* (Unsolicited Press). Delray Beach, Florida, USA.

de Winter, RC. Poet. Digital artist. Anthologized in several collections, including Uno (Verian Thomas, 2002) and New York City Haiku (NY Times, 2017). Fairfield, Connecticut, USA.

Elyshevitz, Alan. Author of short stories collection, *The Widows and Orphans Fund* (SFA Press), and three poetry chapbooks. Published in *River Styx, Nimrod International Journal,* and *Water~ Stone Review* and other journals. Winner of the *North American Review James Hearst Poetry Prize.* East Norriton, Pennsylvania, USA.

Francis, Cass. Poet and fiction writer. UCA MFA alum, current student at Texas Tech University. Published in *Drunk Monkeys, the Shore,* and elsewhere. Lubbock, TX, USA.

Glennon, TeaJae. Nurse. Emerging writer. Colorado Springs, Colorado, USA.

Kessinger, Mark. Poet, novelist, editor, and former President of the Houston Council of Writers. Cleveland State University scholarship winner for creative writing. Author of two poetry books. Kingwood, Texas, USA.

Kondratyeva, Alyona. Ural State Pedagogical University graduate. Freelance Translator and Editor. Avid language learner. Resides in every country ready to welcome her (currently France).

Koven, Jonathan. Published in *American Literary, Toho Journal, Gravitas,* and *Paragon Press' Echo Journal.* Philadelphia, USA.

Melin, Hannah. Writer. Former literacy teacher for the Peace Corps. Fiction Editor for *The Cypress Dome* magazine. Studied Creative Writing at the University of Central Florida. Published in *Big Muddy.* Dallas, Texas, USA.

Petersen, Laura L. Emerging writer with MFA from the Rainier Writing Workshop at Pacific Lutheran University in Tacoma. Published in *Wanderings Magazine* and *Red River Review.* Lacey, Washington, USA.

Piekarski, Thomas. Former editor of the *California State Poetry Quarterly*. Published three books of poems. Sacramento, California, USA.

Sariyev, Kamil. Translator. Writer. Baku, Azerbaijan.

Serafimova, Margarita. Pushcart Prize nominee and a finalist in nine other poetry contests. Autor of four poetry books in Bulgarian. She published in *Nashville Review, LIT, Agenda Poetry, Poetry South, London Grip*, and many other literary journals. London, United Kingdom.

Slovesnyy, Vladimir. Translator. Expert in the field of military equipment. Graduated with a Master of Arts degree from the Russian Military University in Moscow. Moscow, Russia.

Steinfeld, J. J. Poet. Fiction writer. Playwright. Author of twenty books (five poetry collections, thirteen short story collections, two novels). Charlottetown, Prince Edward Island, Canada.

Stumpo, Gordon. Managing Editor & Art Director of *Night Picnic*. Published scholar, writer, and illustrator. Educator. Award-winning fashion designer. New York, NY, USA.

Voron, Eugene. State employee. Writer, artist. Fan of horror and esotericism. Moscow, Russian Federation.

Williams, Oksana. Editor of *Night Picnic*. Bibliophile. Irkutsk State Polytechnical University graduate and math teacher of the American International School of Bucharest. Bucharest, Romania.

Zaitsev, Igor V. Editor-in-Chief of *Night Picnic*. Biologist. Poet. Writer. Professor at BMCC, the City University of New York. New York, NY, USA.

PAST CONTRIBUTING AUTHORS

Edward Ahern • Penel Alden • Samuel J. Allen
Douglas Balmain • Mads Bohan • A. C. Bohleber
Tori Bryl • Natalie Kaia Christiansen • Robert Ciesla
Kalynn Michelle Cotten • Mary Eliza Crane • Kaier Curtin
Alex Dako • RC de Winter • Frank Diamond
Leslie Dianne • William Doreski • Karen Downs-Barton
Michael Dubilet • E. W. Farnsworth • Fayette Fox
Rich Glinnen • Daniel Gonk • Gerri R. Gray
John Grey • Max Halper • Bryan E. Helton
Laura E. Hoffman • Briley D. Jones • Steve Karamitros
Harry Kidd • Jacob Klein • Alyona Kondratyeva
Andrew Lafleche • Matthew Lane • Aaron Laughlin
Jamie Leondaris • James M. Lindsay • Susie Little
LindaAnn LoSchiavo • Paul Luikart • Simina Lungu
Davey Maloney • Laura Manuelidis • Eric McLaughlin
Kamran Muthleb • Josiah Olson • Vincent Oppedisano
Jaime Paniagua • Geena Papini • Rachel Anne Parsons
Elizabeth Paxson • Kristopher Pendleton • Joseph Pete
Richard Risemberg • Frank Rivera • Joshua Robinson
Frank Roger • Brian Rosten • Kamil Sariyev
Evan James Sheldon • Vladimir Slovesnyy • Alex Stearns
J. J. Steinfeld • Travis Stephens • Liza Sofia
Gordon Stumpo • Patrick ten Brink • Simon Tertychniy
Caryl Gobin Ulrich • Robin Vigfusson • Eugene Voron
Jason Wallace • Kim Welliver • Jack Wildern
Sybil Wilen • Christopher Williams • Lucky Williams
Mariah Woodland • Igor V. Zaitsev

A Silent Home

Tanner Cremeans

Loneliness consumed the small house in Sulfur Springs. Life passed the seventh house on the left of Cherry Lane, not knowing the consumption of staleness beyond the faded white door. Lonesomeness crept down the hallway and into the bedroom. The old man sat in his rocking chair and gazed out the window at the stars. He stared at the brightest one and wondered if it were Venus, or even Jupiter. It was neither and his younger self would have known that. The stars sparkled, seeming to sing songs that bore satisfaction to the man. Each night, he digested their lyrics and their beauty. It was less of a hobby and more of a habit, similarly to that of a husband kissing his wife before they part ways for work. He liked to think that in the morning, the stars descended to Earth and would burrow beneath the dirt and rocks and wait. As evening came, they would dig their way up to the surface. By night they'd ascend to their place in the sky.

The man always slept until he was no longer tired. Sometimes it was early, but often it was midday, occasionally even knocking on evening's door by the time he woke. During his working days as a mortician, he left for the funeral home bright and early. People often asked him questions regarding his stomach while dealing with the deceased. The truth was, it never bothered him. The only thing that did was having to sell the funeral home because it seemed not enough people were dying. Now, he couldn't fix himself on a schedule even if he tried, but not that he ever would want to. He would have no schedule but his own, and therefore he was up all night for the speckled lights in the sky. His wife would lay in bed, silent as he sat in his chair. The room was always silent, and he remained awake for as long as he wished.

She woke when he woke. There was not a good morning from him, no kiss from her, not even a look, but she woke when he did. George rolled Lois from their bed and into her wheel chair and they disappeared into the bathroom. After giving Lois her daily doses of medication (he liked to call it her medication, although it lacked certain qualities to be defined as such) he pushed her into the family room. He faced her chair to the television and locked her wheels as always. He took one can of ginger ale from the pantry and placed it in the refrigerator. "Would you like a waffle?"

The woman didn't respond — her face was locked on the television. Six was always the channel they watched. By the time George sat Lois in the family room, the morning news was rarely on — at that point in the day it was usually a reality court show, but more often it was a bad soap opera.

"Sure you don't want a coffee or anything?" The old man asked, knowing she wouldn't respond. The only response from the family room was the sound of a bad actress crying because of something her even worse actor boyfriend had done.

The old man walked from the kitchen and into the second and only other bedroom in the house, thinking of his marriage as it was years ago. There were things they did when they were younger. Words were spoken. Plans were made. He thought of this as he looked at the string instruments covering the walls — mainly guitars. They hung from attractive brackets. The old woman had told her husband that the instruments were too pretty to be hidden in their respective cases. She was proud of them, proud of him, the man thought. He thought of them and wondered if the brackets were the last gift she had given to him. Then he decided that no, there were gifts after that. The latest being reoccurring. He wondered if what he was doing was evil. He missed her, yes. He knew he missed her, but in a way he felt relieved. He had, after all, awaited a time like this. He had thought of the possibilities, planned it during nights he could not sleep, and now the time was nearing. He had calculated how much money he would need. Now all he needed was one more social security check, and he would be gone.

He sat on the edge of the guest bed and remembered his son sleeping there while visiting them. That was many years ago and he wondered where he was now and what he was doing.

He got on his hands and knees and reached underneath the bed. He picked up one of the photo albums, dusted it off, and sat back on the bed. He hadn't taken photographs for quite some time and missed the pleasure that it once brought him. But he knew his new hobby took much time and thinking. The last photo in the album was one of him sitting on a log playing the dobro at a jam session. Lois was standing — singing. He could hear her singing *Blue Moon of Kentucky* by Bill Monroe and his bluegrass boys. Her voice was beautiful in his ears. He closed his eyes and remembered the sound of her gentle twang, and he wished that she could sing again. She looked so much different in the photograph than she did now, sitting in her wheel chair in the family room. The old man still had a mustache and well-kept white hair, but the woman now had wrinkles which she did not have in the photo, and the man couldn't peel his eyes from the picture. She now had less of a posture than she did then, and he thought of that deeply. He may have shed a tear, but the waffles popped from the toaster, so he returned to the kitchen.

He spread peanut butter across both waffles and stacked them together. He used to use butter and syrup, but he hadn't left the house in quite some time and didn't have plans to leave soon. The corner market was now a Sav-A-Lot and the employees talked to him, but they didn't deeply converse or care about his life like the corner market employees once did. He wondered where they went for work once the market closed.

He placed the waffles on a plate and rinsed an apple off in the sink. It was soft, but that didn't bother him. He took the ginger ale from the fridge, it wasn't quite cold yet, but cool enough to enjoy. He sat the plate of waffles on his wife's lap and ate the apple. He knew he'd eat the waffles eventually.

They once discussed moving to Florida. Well, the man had discussed it. Elwin and Cella had moved, and they must be enjoying it because he couldn't remember the last time he had heard from them. "I have no need to leave this house," the old woman had responded to her husband. "The coldness feels like home to me. It doesn't bother me like it does others."

Michigan was a place the man had no reason to live. He didn't work, and he was certain that one could view stars more clearly in the South. He hadn't fought with her about where to live those many years ago, but now he didn't have to. He would soon have the financial stability to live his remaining years on the beach. As for Lois, she'd have to remain.

After his apple, he pulled another ginger ale from the pantry and put it in the refrigerator. He sat and waited for it to cool.

***

Evening came, along with the moon. "Can you see the moon?" He asked his wife. "I love taking pictures of the eager moon creeping on the sun's shift," He smiled over at the woman sitting in her chair. "If only I had my camera, honey." He knew that his camera wouldn't hold the photo, even if he did go back to the bedroom and grab it. Lois was the only one who knew how to print them down at the Walgreens, so the camera had been full for some

time. He would think of buying a new one before learning how to print them himself, let alone save the stored ones to a computer.

The stars came and the old man felt their nightly fulfillment. He thought how this was his first fall admiring them and wondered what he would do come winter. Michigan winters may have never brought Lois sadness, but because of the love he felt for the stars now, George was certain he would be empty of love, of life even, when the night clouds came.

A knock came from the door. The woman made no motion and the man waited for another knock to confirm the visitor's existence. Another rap came and the man opened the door.

"Mr. Brammer?" A young man asked the half-dressed old man.

"Yes. How's it going?" George responded.

"I'm well, I just couldn't fit anymore mail in your box, sir." The young man held a stack of what had to of been a month's worth of mail. "I wanted to ensure everything was alright."

"Oh my. Well thank you, bud." George reached for his mail, thinking that it was awfully late for the mail to run. He made an attempt to shut the door, but the postal worker was interested in why it had been so long since the old man had checked his box. He asked if he should begin delivering mail to the door, but George insisted all was well and that he would check the box more often.

The truth was that their social security checks had routinely been delivered on the fourth of the month, and this was the second. So, there was only the need to check the box once a month. The old man took the stack into the kitchen. On top was a hospital bill addressed to Lois, so he threw it away without opening it. Then, there they were. Two days early. Both his and Lois's checks in crisp envelopes. A sign that George should be on his way to Florida even sooner than expected. It made him nervous a couple of months ago, opening up Lois's check, but this was the third one he had opened without her by his side, and he had become accustomed to opening it and depositing it on his own. The new VIZIO on the wall was what last month's check went toward. He pictured it hanging on a new wall, next to a window that only ever had sun shining in. He pulled the can of ginger ale from the refrigerator; it was cold.

The peanut butter jar was empty. There was enough bread for a couple more sandwiches, but there was mold on every piece, more than the man felt comfortable with. *I ought to bite the bullet and go to the store,* George thought.

"Lois." The man called into the family room. She didn't respond, as always, so he walked into the family room, pushed her closer to the couch, and sat down. He gripped her hand and asked how she was feeling. The nightly news was on, and the two of them sat together as the reporter described that day's negatives. Lois's face was straight, and George was to the point of indifference in his life, but he kept the channel on.

The moon winked through the family room window. George pushed his wife's chair into the bathroom and helped her get ready for bed. He brushed her hair, and it was silent. Her face peered at him in the mirror, and George felt pressure come to his eyes. He watched her face as he dressed her in her nightgown, and it was silent.

The stars were especially bright in the clear sky. George sat in the rocking chair, facing the window. "You see those stars there, honey?" He pointed to the sky through the bedroom window, not turning to the bed to face Lois. "That's Andromeda. You know Andromeda." He sat with his heels firm on the floor and gazed at her beauty. "Wife of Perseus, she was an Ethiopian princess though. Did you know that?" Lois didn't respond. "Now, she's here watching me as I watch her. Andromeda. I could say it over and over." He was addressing Lois less and less and the stars more and more. "Andromeda," he stared at the stars and said slowly, "And-ro-med-a"

***

The old man was still gazing out the window, thinking about going to sleep soon when the front door burst open. The noise of such a commotion was loud enough for the old man to jump from his chair. He moved slowly to the hallway and saw that the front door had been destroyed. White splinters laid throughout the foyer. He crept down the hall until he saw the intruder making his way into the family room.

"Get down. Get on the floor!" The man had an oversized toboggan pulled tight over his face, so all George could see were his eyes through the holes he had cut himself.

"I don't have anything worth taking, young man," George said as the gunman stomped toward him. He shoved the gun in his face. George was quivering but trying to remain calm as he knelt in front of the intruder.

"Shut the hell up!" The man in the mask shoved George to his stomach. He left him there as he continued rummaging through every drawer he saw. "Where are the tools, old man? I'm taking that TV." Although it was a new TV, George assumed it wasn't worth his life.

"I have a screw driver in the kitchen. I'll grab it." He began to push himself up from his stomach when pain struck his lower back. He yelled, but the man to kicked him harder.

"No, I'll get it. Which drawer?"

George didn't respond, his ears were ringing. His body shook in pain.

"A lot of old men have bad backs, let's see if you do." The intruder jumped and landed both his feet on George's lower back. He stepped off of him and kicked him in the ribs. George couldn't feel that blow as much because of the pain in his back, but he heard his ribs crack.

"Please," George's breath was weak. All he wanted was to tell the man where he could get a screwdriver. "To the left of the refrigerator."

The man walked to the kitchen, leaving George alone. George was close to the end table with the telephone on it, so he tried sliding himself toward it. He knew if he could call the police the man wouldn't make it to Lois's jewelry, which was in the bedroom. If the intruder removed the television and still had him on the floor, George knew he would stay until he had all he wanted.

George reached the base of the end table and pulled himself up by the arm of the couch. Drawers were opening and closing in the kitchen. Either the man had found the screwdriver and was looking for more things worth taking, or George had misplaced the screwdriver. He wasn't willing to find out. He picked up the phone and dialed 9-1-1. He was planning on hanging up without saying anything, knowing officers would still be dispatched, but he wasn't thinking about the volume of the telephone.

"Nine-one-one, what's your emergency?" A woman's voice came through the telephone so loud that she might as well of been in the foyer.

"You dumb fucker!" The man came running from the kitchen and ripped the phone from Georges hand. He threw it against the floor and George watched as it erupted into pieces. He pulled George from the couch and threw him to the floor.

With the gun directly over George's left eye, he laid on his back and thought about Florida. It was so close earlier in the day, but now it seemed so far away. The intruder's mouth was moving, but George couldn't hear him. He didn't care to hear him.

Odd things go through a person's mind before they die. George thought about the night sky and how he wished he was on the lawn, so he could see the stars. He didn't think of Lois. It was as if he had forgotten her. She had been there for most of his life, and he had been there for hers, but not now. Not for the past three months had she been there, other than in the form of a check. The sound of the gunshot ripped through the small house and pierced the mouth of the old man. The intruder ran through the busted door with nothing more than a screwdriver stolen.

***

The police arrived, and it was silent. An odor occupied the house and the officers wondered what the peculiar smell was. One officer investigated the old man and determined that the gunshot had killed him instantly, considering the location of the bullet entry. Another officer took fingerprints from the kitchen, and it was silent. A third officer found his way into the bedroom, where he saw a woman, and it was silent.

The young officer's face was blank as he held his hand over his nose. The woman was lying on the bed with her hands crossed over her chest. The corpse smelt, but not like pure decomposition. He looked at the bedside table and saw syringes. He investigated further by entering the bathroom where he saw unusual bottles on the sink. He lifted one that read *Frigid Fluid.* He flipped it over and read its ingredients which included formaldehyde, glutaraldehyde, and methanol. Other smaller bottles read the same brand, and the officer began to put the pieces together.

The officer, along with others who had gathered around the newly found body, examined the corpse. Her limbs were somewhat white, missing skin where skin should be, indicating that it had been months since the woman had died. Even after repeatedly being injected with embalming fluids, the officers learned that a body still decomposes. The first officer stared at the body and thought of the dead man in the family room, dreaming up a backstory for the old couple.

"We'll have to order an autopsy, but the body is obviously in the fermentation stage. See how some of her skin is black, and quite a bit of bone is showing?" One detective said.

"Why doesn't the body smell that bad?" An officer asked the detective.

"You don't think this smells bad?" He turned and faced the officer with his hand covering his nose.

"Well yea, but I guess I'd just expect it to smell worse."

"I'm assuming because she's full of all the shit that's in the bathroom," the detective responded.

The night was at its peak and the stars glimmered down on Cherry Lane. They seemed to be singing their nightly song, dancing their nightly dance. Not a cloud to block the view, for those who love to see the stars planning and plotting their nightly scheme. One more star shined that night, too. She danced and she sang. She didn't question why her soul rose, to glimmer, to be alive, and her husband's soul didn't. Because of her, the sky shined brighter than the old man had ever seen, and she smiled because stars can't be viewed beneath dirt.

The Girl in the Violet Coat

TeaJea Glennon

I walked down the dark alley, my hands in my pockets, as I listened to the sounds of the city. Tires on the wet pavement, horns blaring as one driver cut off another. Faint sounds of a couple arguing high above me in one of the rent-controlled apartments. The bass of the club reverberated through me as I walked past the alley door. The noise of the city was almost overwhelming. *I should just move upstate,* I thought. It would be quieter, but it might make some aspects of my life a little more difficult. I made a mental note to talk to my realtor tomorrow night. She got me the brownstone in the city, it shouldn't be difficult to get a small farmhouse upstate.

The girl I followed took a left out of the alley. I hung back. It wouldn't do to let myself get spotted so early in the night. People, especially women, were far too observant in this day and age. Newspapers and websites loved to say that the new generation doesn't pay attention anymore, but that just isn't true. They pay more attention than you think. It's made my life difficult.

I turned the corner and glimpsed the girl a block or so ahead of me. Her long, violet coat stood out against the dark,dreary night. The modern world favored black so much that any sort of color caught my eye. I've been following her for awhile now. I bumped into her nearly a week ago as she was coming out of the library, and her books scattered across the pavement.

"Shit!" She exclaimed.

"I'm so sorry." I said. I wasn't usually so clumsy.

I watched as she knelt to shove her books back into her bag, then I gathered up her papers for her. "It's okay. I wasn't paying attention either." She stood back up, pushing her short, black hair out of her face. I handed the stack of papers back to her.

"Thanks."

"My pleasure. And my apologies once more."

She slung the bag over her shoulder. "It's okay, really," she looked up at me. "Umm. Wow this is embarrassing. I totally forgot where I was going with that." She shook her head as if to clear it.

I smiled. "Have a good rest of your evening."

It was that moment I knew I had to have her. The scent of her rose perfume lingered on my jacket, on my fingertips where they had touched her papers. And that colorful coat. That's what did her in, and she didn't even know it yet. What brightness in a dreary world.

I watched as she deftly navigated the crowded sidewalk. She didn't walk, she danced. A delicate ballet as she twirled around the people too stuck into their phones to get out of her way. I couldn't take my eyes off her. She glanced back, eyes scanning the people surrounding her. I pulled out my phone, blending in with the rest of the crowd. She was one of the observant ones. I let her get further ahead of me, to reduce my chances of being spotted. I didn't want her to see me before it was time.

She ducked into the library like she did every night after work. But this was the first night I followed her into the library. She had her study materials spread across the whole table, her books piled precariously in front of her. A cup of coffee sat to her right, the lid smeared with a scarlet ring of lipstick. I longed to start a conversation with her but I held back. I didn't want to interrupt her studies. And I wasn't quite sure what I wanted to do with her just yet.

I watched as she wearily packed up her books and papers. She seemed tired. But not the normal tired of a long day. No, this tired reached to her soul. What events had occurred in her life that made her that way? My girl slung her bag over her shoulder and trudged out the library doors. Even soul-tired she seemed to dance as she walked. It stirred something deep in my own soul.

She walked quickly; we were already almost at her apartment. Just a few more blocks. She went in to the Chinese restaurant right underneath her apartment building. I waited outside, pretending to read a newspaper while she waited inside for her food. From what I could tell she ordered sesame chicken and vegetable lo mein. *Could she use chopsticks? Or did she use a fork like everyone else?* If I was right about her, she would go straight for the chopsticks.

Lucky for me, the building she lived in didn't have a doorman. You didn't even have to be buzzed in. Anyone could walk into the building like they were supposed to be there. She held the door open for a young child and her mother. *How sweet.* I knew she was the right one to pick. Now that she had made it to her apartment building, I didn't need to follow her that closely. It would be easy to figure out where she lived. Plus, I didn't want her to spot me. There had been a few close calls this week. I knew she had spotted me a few times. I couldn't afford to press my luck, not now.

I breathed deep and caught the faint scent of roses. *Her* scent. She had taken the stairs, though judging by the state of the building, it had less to do with health and more about getting stuck in the elevator. She was lucky. She lived on the third floor of a ten-story building. Here was her apartment. 316A. I leaned with my back against the door, listening to her movements. It sounded like she poured herself a glass of wine to go with her Chinese food. The gurgling of the wine was followed by the rustling of a paper bag, the screech of the Styrofoam container, the snap of the chopsticks. She rubbed the chopsticks together to remove any splinters. I'd let her finish dinner before she finally saw me.

The TV whined as she turned it on. It sounded old. Even I couldn't hear the new TVs they made now. Was it a money issue? Or did she just not feel the need to upgrade yet? Living where she did, either answer could be correct. I smiled at someone carrying a bag of groceries. They just scowled at me. *Typical New Yorker.* I rolled my eyes. No one smiled at each other anymore. I didn't try to listen to what she watched. It didn't matter.

What was it about this girl that had me following her for over a week? I didn't usually hunt my prey that long, or that carefully. But this girl in the violet coat refused to leave my mind. I was obsessed. I followed her everywhere she went. Work, school, library. It didn't matter where she went, I followed her like a puppy. A wicked thought crossed my mind. *What if she wasn't prey, but a —* I shook my head. *Don't think like that. Use her for one night and forget about her.* But the thought refused to leave. I sighed. *Could she be my mate instead?* I gritted my teeth. *No.*

I listened to her movements as she tossed the empty Styrofoam container into the paper bag it came in, then she walked across her apartment and squashed the whole mess into the trash. I heard a thunk as she set the wine bottle down, now half empty judging from the sound. Wine always added such a unique flavor to a person's blood. My girl already smelled heavenly. The wine she had drank would only add to it. It made my mouth water just thinking about it.

Her footsteps faded. Walking to the bathroom perhaps? This was my chance. I turned to the door and concentrated on the deadbolt. I felt it scrape against the frame, as if it was trying to resist me. She must have to pull and jiggle the door to get the deadbolt to set properly. Finally the deadbolt slid back into its spot in the door. The door stopped abruptly as the door chain stopped me. I hadn't expected that, but it was easy enough to take care of. The chains on doors were so flimsy it was more of a placebo than an actual deterrent. I broke the chain with barely a sound and I was in my girl's apartment. Finally.

I gazed around. It was sparsely decorated, like she had no great attachment to her space. Against the far wall sat a threadbare couch that may have once been navy blue, but was now closer to the color of old denim. A scratched and scuffed table sat in front of the couch. It was faded just like the couch, but from weather or age, I wasn't sure. The most colorful object in the room, aside from her coat that hung by the door, was a vase of flowers on the kitchen counter. A dozen roses in full bloom. Half red as sin, and half black as what remained of my soul. *Wasn't she an enigma?* I've never met anyone who liked black roses. It only made me want her more.

I sat down on the couch to wait for her. It was comfortable in that way that only an old couch could be. *What would she think when she finally saw me?* A small gasp from the doorway caught my attention. So she finally knew I was here.

"Who the fuck are you?"

I stayed where I was. There was no way she'd outrun me. I'd be on her before she could even think about running. I watched as she edged for the door. I don't think she realized I knew exactly what she was doing.

"Listen, just get out of my apartment and I'll pretend I never saw you." I heard the fear creeping into her voice.

I watched her as she watched me. She was smart; she never took her eyes off me, not for a second. Most people did eventually. But then again, she wasn't most people. I let her get to the door. I could move fast enough to stop her before she would be able to get the door open a fraction of an inch. When she reached for the doorknob, I moved. The door remained shut even though she pulled on it. With one hand I was able to stop her from opening the door.

She stood frozen, her hand still on the doorknob. This was the closest we had been since I started following her. I could feel the heat radiating off her frightened skin. She backpedaled a few steps, putting distance between us. She studied me just as I studied her. I hadn't noticed her eyes the first time I saw her. They were such a light blue that they appeared grey, with a dark blue ring around the iris. *Mesmerizing.* There was a light smattering of freckles across the bridge of her nose. She may not have red hair, but she definitely had the Irish complexion.

Many emotions flashed across her face. Fear, of course. Puzzlement. And — recognition? That's one I didn't expect. She recognized me? From our run-in earlier, or have we met before? It's not often that my memory fails me, but it does happen from time to time.

I easily closed the distance that remained between us. Lucky for me, my girl was wearing a tank top. It was a myth that we had to look into someone's eyes to read their mind. No, the only thing I needed to do was touch their bare skin. Her skin felt feverish underneath my hand, though she seemed to tremble in fear. I wasn't expecting a fight, but she gave me one nonetheless. She struck me over and over with her free hand, while trying to twist out of my grip.

Then she started screaming. That I couldn't have. I pivoted and shoved her against the door, my hand over her mouth. I growled when she bit my finger hard enough to draw blood. I fought every instinct that told me to kill her then and there. If only I could get her to be quiet and talk to me, I might not have to. Though part of me certainly wanted to.

"Calm down. I'm not going to hurt you." She stopped screaming and stopped struggling. I didn't want her to be completely mindless, but I didn't need a nosey neighbor calling the cops because he thought he heard something. I slowly removed my hand from her mouth, ready to put it back if she decided to start screaming again.

Her voice was barely a whisper. "Who are you? *What* are you? How did you — ?" The questions tumbled out of her mouth one right after the other.

"I think the more important question is this: how do you recognize me?" I didn't wait for her reply. I could get the information I needed with or without her cooperation.

I flitted through her memories. I saw the most recent time we met, when I had bumped into her coming out of the library. To watch myself through her eyes was an odd sensation. I also got a glimpse of her thoughts. She had been annoyed, which is understandable. But much to my amusement she also thought I was cute. She considered introducing herself and asking me out on a date, but decided against it. *How interesting.* And she had such a beautiful name that had remained on the tip of her tongue. *Lilliana.*

But there was another memory, far older. Lilliana couldn't have been older than ten as she skipped beside someone who must be her mother. I could feel the chill in the air. It must be winter, or close to. The memory was fuzzy, like I was looking through old glass. Not unusual for such an old memory, though it made it slightly unpleasant to watch.

Lilliana and her mother entered a restaurant. Chinese. *Why am I not surprised?* It wasn't clear what happened next. It must not have been important. The next I saw they had their food and Lilliana struggled with the chopsticks. She appeared determined to succeed, however. I was amused watching this little ten-year-old try to figure out chopsticks. *But why did this memory come to her mind?*

"Here, let me help." Again, the disorientation at watching myself through another's eyes. I saw myself as she would have seen me. Shockingly red hair tied back in a ponytail, green eyes that ten-year-old Lilliana thought of as "green as grass."

"If you don't mind?" I raised my hand. "I'm left-handed too." *Plus I'd had over a thousand years to master chopsticks.*

I pulled myself out of her memory, but not quite out of her mind. *So that's where that look of recognition was from.* I couldn't help but laugh. This certainly was auspicious. It seemed that fate wanted us together, at least in some sort of way.

The loneliness in her mind tugged at me. Was she so starved for physical touch that even being in my presence brought those feelings to bear? I watched a third memory. The pain she felt lanced through me as though I was the one hurt. This one was a phone call.

Lilliana stood in the middle of the room when her phone rang.

"Hello?" She was confused. It wasn't a number she recognized, but it had the same area code where her mother lived. I almost wished I could reach out and tell her not to answer that call.

"Is this Lilliana McAllister?"

"Who is this?" *You don't want to know,* I thought.

"This is Officer Bradley with the Colorado Springs Police Department. I'm sorry to have to tell you this..." The man trailed off. I didn't want to watch anymore. I could feel Lilliana's heartache. This was the call that changed her. Turned her from happy-go-lucky and outgoing to melancholy and lonely.

It felt wrong to watch that memory. Though it had to be at least two or three years old, the pain she felt was as fresh as it was the day it happened. I could tell just from the little I've seen that she had been incredibly close to her mother, and with her gone she was lost. It made my heart ache for her.

This time I did pull myself completely out of her mind. She looked at me in bewilderment.

"Wha — I don't understand. Who are you?" She stumbled over her words, seemingly unsure of what question she wanted to ask first.

I took a step back. Gave her a bit of space. She didn't try for the door again, but paced around me as if to size me up, to gauge what she was up against. What could I say?

"I am Alastair. What's your name?" Though I'd gotten in from her mind, there was no sense in being rude.

She looked at me wide-eyed. I suppose it was a little odd to have the stranger that broke into your apartment ask for your name. "Lilliana?" Her voice rose like she wasn't sure anymore.

"That's a beautiful name."

"What do you want?" She asked. She walked backwards, trying to put distance between us. I sauntered toward her, pressing my advantage.

I saw her phone on the coffee table right as she looked at it. She lunged for it, but I was quicker.

"That's mine. Give it back." She grabbed for it but I held it high above her head. With one hand I crushed it and tossed the remains on the ground. I didn't need her calling the cops either.

"We don't need to be interrupted, now do we?"

"Please don't. I don't want to die." Her voice shook. She lied. I saw in her mind earlier. She didn't care if she lived or died.

I closed the distance between us again. I took her head in one hand, my thumb running along her jaw. I felt the muscles clench beneath my touch. Her breath came in shallow little gasps.

"Don't you?"

Her eyes slipped closed. A single tear fell down her cheek. "I don't know." *So much despair for someone so young.*

Lilliana pushed weakly against me. Her skin was so hot compared to mine that it almost burned against my skin. "Please just let me go."

"I'm afraid I can't do that, Lilliana. Not now."

"Why?" A whine crept into her voice. I hadn't meant to terrorize her quite this much. I slipped into her mind once more, to calm her. Make her forget her terror.

"Shh. It's okay. Just relax." Instead of doing what I said, it seemed like it had the opposite reaction. I was met with resistance when I tried to go deeper into her mind.

"Get out of my head." Her voice still shook, but more with determination than fear. I was completely shocked. No one had ever resisted me before.

"You can tell what I'm doing?" I tipped her head up. "Look at me." Defiance flashed in her eyes.

"Of course, I can feel it. Stay out. I don't know how you're doing it, but stop." *Well this was an interesting development.*

"I can tell you if you'd like." *Let's see what she makes of that.*

She nodded as best she could, since I still held her head in my hand. "I'm a vampire."

Lilliana rolled her eyes at that. "And I'm Elvira."

I wasn't surprised she didn't believe me. Not many people did, at first. "How else do you explain my cold skin? I know you can feel it," I placed her hand beneath my shirt. "Do you feel anything beating there? Hmm? How else could I read your mind and know your darkest thoughts? Tell me."

She couldn't answer. Lilliana simply shook her head. She looked into my eyes, searching for the truth within them. *I wonder what she sees, what she really sees?* I thought. *Does she see the monster within? Or the man I once was?*

There was only one way to prove it to her, then. I wound my hand in her hair and forced her head back to expose her neck. Her pulse hammered in her neck, like a neon sign to guide me where I wanted to go. I breathed deeply, her scent, her true scent, filling my nostrils. On the surface was the rose of her perfume. But deeper than that I could smell the wine she had drank earlier, and the oak it had been aged in. There was an undercurrent of fear. That smelled clean, almost surgical-like. There was desire, like the exotic spices of the Old World. Like cinnamon and cloves and nutmeg all mixed together. Longing. Loneliness. Those two twisted together like a bouquet of freesia surrounded by delicate baby's breath. What did she long for so much that it would cry out like that, begging to be heard?

I sank my fangs into her neck. Lilliana gasped in surprise. *Just a taste,* I reminded myself. I didn't want to kill her just yet. I still hadn't made my final decision on what to do. It was so difficult to stop once I tasted her. She

tasted as amazing as she smelled. I felt her hands beating against me, trying to push me away. when I finally let her go, she stumbled backwards, her hand against her neck, eyes wild. She fell into the couch while I stayed where I was.

I raised an eyebrow at her. "Now do you believe?" She nodded. I sat down on the couch, close but not next to her.

"Are you going to kill me?"

"I haven't decided yet." It was the truth. I watched her as she ran that through her head. I wanted to know what she was thinking, but I knew she would never let me in her mind.

"Why me?' She asked.

"Why not?"

"I think I deserve an answer, don't you? If you plan on killing me."

I thought about that. "I suppose you're right. Your coat caught my eye that night at the library."

She glanced over at the coat that hung by the door. "The purple one?"

I nodded. "But it was your scent that really did it. Once I got close enough."

"You bumped into me on purpose, didn't you?"

I scooted closer to her. I'd had a taste of her. I wanted her closer. She tried to back away but there was nowhere to go. "Clever. No, it wasn't an accident."

"Wait, what do you mean? Scent? You mean my perfume?"

I leaned into her. I could see myself reflected in her eyes. "Your perfume is certainly part of it. But I mean that deeper scent. The one that animals smell," I placed my lips against her ear. "The one you might call sexual attraction." My voice had dropped to a rough whisper on that last line. My breath against her ear made her shudder. The scent of cinnamon and cloves grew stronger. I had her now. I leaned back so I could look at her face. "Do you want to die, Lilliana?"

She flinched. Instead of cinnamon, now I could smell something closer to the air after it rains. Conflict. Confusion. She truly didn't know what she wanted.

After a long pause she finally answered. "I — don't know. I've tried before. Well, almost."

"Tell me."

Lilliana took a deep breath. "After my mom — died. I felt lost. I had a bottle of pills. Leftover from a trip to the ER. I don't remember why I had them. But I took the whole bottle. And then I got scared. So I made myself throw up. I haven't tried since. But it's always on my mind."

I could feel my heart breaking for her. "You still seem lost."

She wrung her hands. "I am. I don't have anything. No family. No friends. I hate my job." She shrugged.

What was it about this girl that had me so conflicted? "And school?"

"I'm only doing it because I thought I should. Not 'cuz I wanted to."

"What would you do if I said I won't kill you?" I rubbed my chin. *Should I offer this life to her? Take her with me?*

Another shrug. Lilliana wiped a tear from her face and dropped her head. "I don't know. Continue on, I guess. Like I am."

"What if there was another option?" I was dangerously close to a precipice that once we tipped over, there was no going back.

"Live my bullshit life or let you kill me? Not much of an option." She sniffed, wiping more tears away.

I reached out and took her head in my hand once more. "Look at me." She kept her eyes cast downward. "Look at me." I growled. My fingers tightened on the back of her neck.

Lilliana finally looked me in the eyes. "I could make you like me." *No turning back now.*

"Like you? A — a vampire?" I could feel a thousand different emotions flutter through her mind. She had let her guard down. Lilliana genuinely entertained the idea. That alone shocked me. The last time I made this offer, my heart had been broken into a thousand pieces, and I vowed to never make that offer again. But here I was, a thousand years later, making the offer once more. Could the girl in the violet coat surprise me once again?

"What have you got to lose?" I asked softly.

"I guess there's nothing to lose."

My breath caught in my throat. "Is that a yes?"

"Yes." Though barely a whisper, I heard her answer crystal clear. I pulled her toward me once again, intending to start her conversion, but a hand on my chest stopped me. "Wait."

I looked at her questioningly. "Wait?"

"How does it work? The Turn? Conversion? Whatever you call it."

I had to chuckle at that. "It involves a blood exchange. I take your blood, you take mine. Back and forth. It ends with you taking from me one last time."

Lilliana wrinkled her nose. "Eww — I have to drink your blood?"

"You might want to get used to that. You'll be doing a lot of that soon." I shook my head. *Unbelievable.*

She scoffed. "Well it makes sense as a vampire," She rolled her shoulders. "It's kinda gross as a human."

"I guess you humans do have qualms against drinking blood."

"It's not exactly something we normally do."

I pulled her into my lap. She squeaked in surprise. "Quit stalling." I said.

She breathed more rapidly than before. Though she had consented, she was still afraid. As gently as I could, I slid my fangs into her skin once more. This time I pierced all the way to the artery below. This would not be just a taste. Her molten hot blood spurted into my mouth. That alone was almost enough to make me lose control. She bucked against me as I drank, fear taking over, but she was no match for me, not now. Lilliana's heartbeat thundered in my ears, quick with both fear and blood loss. It took all my willpower to separate myself from her, to instigate the change.

I tore my own wrist open with my teeth and placed it against her lips. Lilliana was woozy from the blood loss. "Drink, love." I encouraged. She did as I told her to, clinging against me. When my head started spinning, that's when I pulled her away to start the exchange again. I took more this time, until her heartbeat grew irregular. Each time involved a larger amount of blood taken, from both of us. The final exchange of blood would be the most dangerous. For me anyway.

The change had begun to take place within her by the time I took her blood for the last time. Her skin was growing colder. Her scent was changing. It was working. Once she took my blood for the last time, the change would be complete. Her body would die but she would still be Lilliana. Just immortal. My companion for the rest of eternity.

I listened as her heartbeat grew irregular once more, but I kept drinking. She needed to be on the very edge of death for it to work. Now there was a long pause in between beats. I withdrew from her for the final time. Her eyelids fluttered as she struggled to remain conscious. I cradled her head in my hand and brought her to my neck. Her fangs had grown long enough to pierce flesh.

"Lilliana, you need to drink one last time if you want to live." I panicked for a moment. What if I had taken too much and she was dying?

Her newborn fangs pierced my skin. They were barely sharp enough, but they did what they were supposed to do. She drank and drank, gaining strength as she did, while I grew weak and dizzy. I didn't know if I would have the strength to push her off. I pushed weakly against her.

"Let go, now. Lilliana let go." She finally let go with a groan. I fell against one side of the couch, and she collapsed against the other. I could barely move. I had let her take more than I should have. But she would be incredibly strong because of it. My line had no dilution. No matter how many others I made after her, if there were any, she would be the strongest. Lilliana groaned in pain as her body finished dying. I felt some strength return to me, but I desperately needed to feed, probably more than once tonight. Lilliana would as well. Newborn vampires were notoriously ravenous.

I watched as Lillian looked around her apartment. She seemed bewildered, lost. She seemed surprised to see me sitting on the couch next to her. I held up my hands in placation.

"It's okay. You're okay."

"Did it work? Am I dead?" Her voice was beginning to rise into a panic.

"You're not dead. Well, technically you are, but you know what I mean."

She shook her head. "You're ridiculous."

I shrugged. "Well now I'm yours for all eternity." That earned me a smile.

It's hard to describe what the change does to a person. They still look like themselves, but there's something *more* to them. Like a mirage or an aura about them. I don't mean that they glow. Like I said, it's hard to describe. I studied Lilliana's face like it was the first time I was seeing it. Her skin was as pale as mine, of course, which made her freckles stand out starkly against her skin. Her black hair seemed to contain prisms of color within its strands, like an oil slick on a rainy day. And her eyes, mesmerizing as a mortal, were indescribable now. Bluer, but greyer. The dark circle surrounding her iris darker but lighter at the same time. It was like her eyes were lit from the inside. They seemed to glow. I couldn't stop staring.

Lilliana raised an eyebrow. "What are you staring at?"

"You of course." It was true. If she could have blushed, I'm sure she would have. I stood up and offered her my hand. "Come on, then."

She took the hand I held out. "Where are we going?"

I grabbed her violet coat that hung by the doorway and held it out while she put it on. "Wherever we want. The world is ours."

From Where You Stand

Cass Francis

It was her silent affirmations that kept her from going completely insane. Sure, she had gotten a little worked up the night before, when her neighbors were being loud, again — the canned soundtrack of a rom-com, interrupted by giggling voices whispering just low enough that you couldn't make out the words. She had, as usual, screamed, "Shut up!" at the vent in the ceiling. And when there was no response but another burst of giggles, she beat on the adjoining wall until there was silence, and a bruise, gray like a smudge of pencil lead, appeared on the side of her fist.

The people who were gathered outside cheered. "You tell 'em, Brandi," one of them shouted, hands cupped around mouth, yelling up at her wall that faced the street — the wall of glass.

Brandi reminded herself, inwardly — I am beautiful and powerful and one with the universe. To prove her oneness with the universe, she noted her surroundings. The paint is white, the shower curtain is gray, the bed sheets are blue, deep blue like a coming storm. The desk is brown. The rug is purple. And the glass is... but glass doesn't have a color, does it? No color except for the color of whatever was behind or in front of it, depending on where you stand.

For a moment, Brandi stood with her fist panging at her side. She stared at the wall of glass that cut through the building, through which the crowd on the street could see into every apartment, into every room, into every life. She had agreed to live here, she reminded herself. It was an honor and a privilege. She moved on — the carpet was brown, the ceiling was white and popcorn, with little silver flecks that reflected the streetlight below.

She needed to hold onto her sanity. It would be wrong to go mad here, to become truly unhinged. True madness, anyway, went unseen, uncelebrated. It was quiet and slick and wrapped its fingers around your wrist so it seemed like you were doing things you weren't doing. True madness couldn't be contained so easily, kept behind glass.

Plus, living here was an honor and a privilege. The people had voted and she had been named one of the few that got to live in an open apartment. Less than a year ago, she had simply been a girl who worked at a department store, though she'd always been pretty and popular — and had a way with people, her grandfather always said, and talented too. Folding clothes, doing inventory, taking crap from customers, Brandi had kept herself alive through her dreams. One day she'd be an actress, a singer, a star.

Her current situation had been so impossible that it'd never even crossed her mind. To get an open apartment for free? To have people always outside, sending their words your way? To have them want to know you, the real you? This was more than acting. It was the way life should be — people always there to notice your bad days, your hurt, and your good days, your triumphs. People always there, gathering on the street night and day, calling up to Brandi and the rest of the open apartment building's tenants.

And all Brandi had done to earn this place had been to scream.

***

She had been mugged on a quiet street just after midnight, while on a quick grocery store run to get canned peaches for her grandfather, the man who had taken care of her when her parents' marriage fell apart, and the man who she had been trying to take care of as he died, slowly, of lung cancer.

While she watched the mugger pulling her purse from her arm — in what felt like a ballet, the fluorescent of the store lights behind him reflecting dully from the pavement — something inside her snapped. A cool veil fell over her, like kerosene poured on her head and dripping from her hair, her skin. The mugger's sweatshirt hood fell back, exposing his bared face. This was the spark. His eyes — detached, murky, but also with a glint of desperation and fear. Brandi thought that must have been how her own eyes had looked the night before as she held a plastic cup to her grandfather's lips when he woke up gasping, his coughs spraying chunks of phlegm and blood.

So, rather than do what you're supposed to do in a dangerous situation — stay calm, do as instructed, don't be a hero — Brandi started screaming. Screaming like a person lit on fire. Screaming like a crazy person. Screaming like a woman whose life was falling apart because of death, bad luck, and medical bills, and who was exhausted and terrified, and who had just gotten out this late at night because a man she loved could only stomach canned peaches and had none left.

Startled by her intensity, the mugger dropped the purse and thrust his hands upwards as if she had pulled out a weapon. And she supposed that was what her shrieking voice sounded like — a knife, or the air around a bullet winding its way toward a target. Still screaming and, now, crying, she picked up the purse and, instead of running, she began beating the mugger over the head with it. A man came out of the grocery store and wrestled the would-be mugger to the ground, and a woman who'd been out on her smoke break and heard the screaming ran toward the scuffle, gasped, then called the police.

The story had been all over the news the next day, and then all over the internet. "Who is this woman? Why did she do that?" people asked. "How can I become brave, too?"

***

Only, Brandi didn't feel brave — not facing the mugger, not a month or so later when her grandfather passed away, and certainly not now, a few months after moving into this open apartment. She was so not-brave that she had to remind herself to breathe. She had to recite the colors of the walls, the desk, the bed sheets, the yellow lamp, the brown carpet, the red bathroom mat. The window glass.

The glass. She had never thought about it before, how hard it must be to live in an open apartment, despite its obvious honor. As a kid, she too had gathered outside one a few blocks away from her very closed, normal apartment — where things crashed against the walls of peeling, faded wall-paper, and her parents' shouting matches were so loud the words felt like waves crashing against a cliffside. The open apartments had seemed so much more like homes, then, when she was on the other side. There had been one woman in particular Brandi had liked to watch. The woman carried herself with a certain grace, as if her body had been tailored to her the way a dress could be tailored, sewn together to sweep and fold just right. She always strutted around her apartment, licking her lips and flicking blond hair from her eyes with a cool nonchalance that Brandi would have liked to have emulated. At the time, though — wearing her school uniform, the buttoned-up collared shirt that dug under her armpits — she hadn't been able to muster the courage.

Now, she rolled over in bed and stared out the glass, at the crowd — smaller late at night, more spread-out — the street lights fading from orange to a soft yellow. Since there were less of them, at night Brandi could recognize faces in the crowd even from her second-story window. One of them was a boy, fifteen or sixteen, obsessed with one of the first-floor tenants that Brandi had never seen. She had never seen most of her neighbors, except for the man who owned a poodle and who had been there in the lobby to greet her the day she moved in.

"His name is Cupcake," the man had said, while she was standing in the lobby and touching her lips lightly, flustered because she was thinking surely she had left something in her grandfather's apartment, surely she had forgotten something small and essential — so quickly she had decided to move, so quickly she had packed up, desperate to be done with the place.

"What?" she said to the man's gleaming eyes, sparkling like a fish's scales. Then she noticed the poodle, with a bedazzled collar, tucked underneath his arm.

"Would you like to hold him?" the man asked. Before Brandi could say no, that she was just looking for the landlord who said he would meet her here, the man thrust the dog into her arms and she held him tight and warm against her chest. "Take care of him, would you?" the man said in a small, boyish voice before he darted away through the front door.

The doorman had been bringing one of Brandi's bags inside from the cab. He stopped, dropped the bags, and yelled after the man, "Mr. Christopher, not again!"

They brought him back, of course — it was breaking lease to leave the building except for the rarest of circumstances, such as the death of a loved one or the birth of a child — and Brandi stood in the lobby holding the dog until it started wagging its tail and the doorman led Mr. Christopher back in by the arm. "Cupcake," Mr. Christopher said, taking the dog back from Brandi. Then he and the poodle went back to their first-floor apartment, and Brandi went up to her own apartment, and, though she had wandered to the lobby downstairs once or twice, she had seen no one else except for the doorman in the building. She had not even seen Mr. Christopher again —though she saw Cupcake, being walked by a salty-haired girl with a red backpack. According to the doorman, after every failed escape attempt, Mr. Christopher became exceptionally ashamed and wouldn't come out for weeks.

He lived downstairs, next door to the woman that one boy was obsessed with. Mr. Christopher had been some sort of TV personality, and the woman had been a lawyer of some sort. Brandi's next-door neighbors were a newlywed couple whose love story was said to be fascinating, though Brandi herself knew no details about it. On the third floor was a family with ten kids — part of their entertainment value being how they survived together in such a cramped space. Their neighbors was an elderly couple who had lived there for decades. The man had been a film director and the woman had been a journalist, someone who broke a scandalous story important and famous, at the time. Brandi knew next to nothing about any of them, except for Mr. Christopher, since shortly after moving in the landlord had contacted her and the rest of the tenants, warning them not to take the poodle under any circumstances and to notify the doorman if Mr. Christopher began acting strange.

Brandi couldn't believe she lived among these fascinating people. Still, she hadn't gotten the hang of how to sleep well with the crowd always there, even if it did disperse slightly at night.

"I love you," yelled the boy, almost dirge-like, to the glass of the first floor, behind which no doubt the woman he loved was slipping into bed. Brandi wondered if one day she would capture a stranger's passions to such an extent. She wondered what it was like, living on the first floor so close to the crowd, and as she drifted off into a shallow sleep, she thought it might be nice — seeing their faces straight-on rather than looking down at them from above, their brows hooded by shadows.

***

It was her silent affirmations that kept her from going completely insane. The brown carpet. The teal soap dish. The black television. "Get hobbies," the old man who lived above had written her, kindly, after she moved in. She imagined him with drooping gray eyebrows and blue eyes, gentle like her grandfather's rather than shining wild like Mr. Christopher's. "Bury yourself in them," the old man had written.

"You poisonous, slimy vultures," Brandi wanted to call the crowds, sometimes, and could barely contain herself by clasping her hands over her mouth when she remembered that they were really there and always watching. She played the whole thing off by acting like it had been a particularly forceful yawn, but she couldn't keep doing this because sooner or later one of them would write the landlord, concerned, saying Brandi in Apartment 2B needed to see a doctor, she'd been yawning an awful lot — what if it's mono? What if it's chronic fatigue? What if the strain of this lifestyle was finally getting to her — after all, she was put into this position not by birth or talent but by chance. It would be understandable if she couldn't handle it. It would be understandable if she was cracking...

She didn't want them to see her going crazy.

She didn't want her madness to be the thing that kept them gathering outside the glass, looking up. She vowed she wouldn't be like Mr. Christopher — loved because he was desperate and wild and tried to escape again and again and again, letting them cheer and chatter about it again and again and again. If she truly went mad here, they would never forget her. They would sing about her after her self-destructive death. They would build statues and write poems and name foundations in her honor, foundations to help the mad. But the indignity of it, her life being hijacked in that way, chilled Brandi all the way to her core. She remembered the sudden surprise and fear in the mugger's eyes, when she had started screaming, and the way he pleaded with her to stop when she was beating him with her purse, but in her fury she had barely heard.

"We're out of peaches," Brandi had told her grandfather, propped up on the couch in the other room. "I'll just run out and get some." She had said it standing in front of the cabinet in the kitchen, flies buzzing around the dishes piled in the sink, spaghetti sauce splattered on the wall behind the stove.

She had opened the cabinet and stood there and said, "We're out of peaches so I'll just run out and get some." And maybe she hadn't seen the can, or two, that had been in the cabinet after all. And maybe she had gone out past her wheezing grandfather just so she could breathe in the wide-open night, and maybe she had stopped off at a bar along the way to the store to maybe have a beer, or five, because it was cool — everything was cool, breezes like summer rains — and maybe she had stayed there for an hour or two, hunched over her drink in the shadows all safe like a child clinging to a stuffed toy for comfort at night. Back then she'd had these things, these secret moments that, afterward, could have never happened at all. They were beautiful and peaceful moments because they had happened on the outside but never on the inside — she forgot their existence so easily, just by shutting off her mind, just by walking away. Except looking out of the bar that night she had seen the orange light on the pavement and had remembered the peaches. She had gone to the store. Then there had been the mugger. The mugger and suddenly there could be no secrets, because she had become too brave for secrets. She was not supposed to want them anymore.

But there was the glass. The glass that changed color depending on the time of day, the time of year, and who was standing behind it.

***

She had heard that the only way to leave was if the people in the crowds forgot who you were — if they forgot and stopped gathering outside for you, stopped peeking into your apartment to spy into your life. The only way to leave was to be boring. To be so unlively they forgot you were alive, the crowds coming for others but no longer for you, no one pointing up and whispering to their friends and no one shouting at you, no one standing with their arms crossed in disapproval when you did something they considered wrong, no one squinting through the sunlight glaring from the glass of your window. She had heard this, but realized that she had not heard what happened to the people who had been deemed too boring. She didn't know where they went, what kind of lives they were now leading. She had never even wondered about them before.

Brandi realized this one night when Mr. Christopher tried to escape again, caught when Cupcake — who he'd left outside of Brandi's door — began barking at his departure. Brandi had picked Cupcake up and gone to the glass. Outside, there was a stir in the crowd. Mr. Christopher burst outside, the doorman close behind. But Mr. Christopher didn't keep running. All he did was grin and stop, panting, his steps jagged, and shake the hands of as many members of the crowd as he could before the doorman grabbed his arm and led him away. Several people took pictures. As Mr. Christopher disappeared back inside, the people cheered.

Brandi began to wonder why the crowd had not yet forgotten her.

After all, she seemed like the typical story of a random normal person thrust into fame only for a week or two, allowed — after the initial sensation died down — to go back to the life she'd had before. Even as she'd read the terms of the lease, she'd thought of the open apartment like a hotel, or an expensive trip you win in a raffle. Something different and luxurious that would last for a string of lazy days, then you'd go back to being the girl who worked in a department store and dreamed of being an actress.

The crowd, though, fed on secrets.

Or, rather, they fed on the faint shadows of secrets left behind, glimpsed only hazily through the glass. She remembered staring up, as a girl, into the apartment of the woman she admired. Staring up for hours, long enough for her legs to begin to ache, long enough for a cool breeze to brush against her bare arms and for her think it must be warmer, in there, behind the glass. She had fantasized about talking to the woman. She had fantasized that the woman was her mother, and they would talk about life — not deep philosophy, but practical things. How to do your hair, how to cook meals, how to moisturize your skin, how to shave your legs. At the same time, Brandi had wondered why the woman was alone. Why she was there, in an open apartment, instead of leading a life behind some closed door, windows shuttered and unpolished.

The doorman came up sheepishly an hour or so later, the night Mr. Christopher tried to escape. He took Cupcake from Brandi's arms and the dog wagged its tail and bobbed its head as the doorman stomped back down the stairs.

It would be lonely, living like she had, again. Lonely in a way much deeper than the loneliness she felt behind the glass, where now at the very least, even the inner workings of her mind seemed to mean something.

***

She couldn't get it out of her mind — the loneliness, Cupcake's dully shining eyes as he was carried downstairs, the way the glass went quickly from blue to white to golden to pink to purple to a deep black as the sun set. Had anyone really been boring enough to leave? And how does one move on with their life, once they have been deemed boring, once it's been established that the crowds did not care about you? Brandi had never heard of it happening before. She tried to remember in a flash every face she had passed at random in the street before she had come here. She had strained her mind, trying to remember the lines of their faces and trying to place them in her memory. Trying to decide whether or not she had seen them before in an open apartment, seen them only in passing before she became fixated on the woman she used to watch, guiltily, after school because she didn't want to go home. After a long while of deep and tangled thought, Brandi couldn't place any of the faces. She couldn't imagine looking down at the crowd and seeing someone who had once been in her place, had once been on this side of the glass.

That night while taking a shower, she was still thinking about this, trying to place a single face. But the steam rose around her, and after awhile she realized — the crowds can't see me here. Not completely. They can only see the outline of my shape behind the curtain but through the steam they can't see clearly what I'm doing.

She reached out, pressed her palm flat against the cool tile as if her handprint would remain there when she went away.

While the warmth of her hand bled into the shower tile, she decided that if she was going to stay here, her mind's workings would have to be her shadowed secret — the one she kept close, just out of reach of the crowds. She would try to stop screaming at her neighbors when she heard the TV too loud or their giggling voices in the night. She would stop pacing her room, muttering the colors of things underneath her breath. And later, in her bed, lying on her back, again she would flatten her palm. She would press it gently down on the bed sheet next to her. The crowd could not see what she did underneath the covers, and she would delight in this quiet rebellion — the bed sheet so blissfully cool.

The bed sheet blue. The carpet brown. The television black.

The glass was spotted. There were trees outside, the crisscross wood and steel of a viewing platform the crowds had built, and several silhouettes standing outside, peering in. The faces watched her. It was like they could sense her secrets the way a dog senses a coming storm, ears perking up in the electric air.

Laila

Jonathan Koven

Three days before her old eyes came out, she smoked opium for the first time. Laila sat on the edge of her bed with Hank beside her. The dense smell of cocoa and chamomile basked in her nostrils. Because Laila was blind, she breathed the smoke's scent in, tasting enriched air collect under her tongue. She heard the flicker of the lighter twinkle off, and Hank inhaled. The bowl was then passed to her as Hank lit it for her, and she sipped in the smoke. The fragrance marinated her lungs, held captive inside her body. She wondered how long she could hold her breath. Finally, she abandoned the effort — imagining the smoke coalesce as storm clouds below her ceiling.

High. The sensation of cooling air made a blanket around her. Imaginary cushions banked themselves atop her shoulders, against her neck — reaffirming her place. Higher, higher, sounds threw waves in her ears. They zoomed in, and then out, and then in again, as ripples through her ear canal. The noises cast themselves, opening, growing, and dwindling again.

He moved his hand to her thigh, and she let him touch her as no one had ever done.

"You sure?"

Laila didn't respond, but he touched her anyway. He was gentle with her, softly petting her like she was a sleeping dog. It wasn't lovely, but she was sure he meant no harm, and she didn't stop it.

There was a version of death in this moment, when Laila felt a submission to time's slow burn. There was nothing to stop the moment, no reason to try, and things happened unopposed. Falling, falling, falling, falling, and falling for five minutes as he continued — she felt desired, real, but empty.

Hank's opium breath coated his tongue as it swirled in her mouth. She listened for the sounds of his lips, opening and then closing again — his tongue, and then his breath, passing into minutes, passing into daydreams. She took a count each time his teeth clacked against hers — nearly a dozen times — and she liked it. His panic and desperation coaxed her with action, telling her she was needed. Laila waited, unmoved but intrigued nonetheless, until his effort waned and stopped.

There was little high left in her body. It trailed off in rivulets from underneath her arms and down the small of her back. She imagined what sweat looked like. Was it blue like the water from the ocean was supposed to be? Was blue bright and majestic as she imagined it to be? Laila smiled thoughtfully, and Hank held her hand.

"Are you afraid?"

Laila knew he was talking about the surgery. She didn't want to talk about that. No. She wanted to talk about the possibilities of sight. She was 18 years old and she'd never seen anything before. Since the surgery was scheduled, her father hadn't stopped speaking about the beauties waiting for her on the other side. There was a blue sky spanning forever above their heads.

She thought of the glory of a permanent sky. How, while it was pinned with clouds, white tufts carrying waters pilled blue. A hope for happiness squirmed in her brain. She was going to see *beyond*. Laila was going to be part of it all. There was something wonderful in being part of the world of sight.

"No. I'm excited. I'm really truly excited to see."

"Good. I'm happy for you, Laila." Hank slowly walked his fingers up her forearm, to the inside of her elbow, trying to tickle her. "So, what is the first thing you want to see? When you can see, what are you most interested in looking at?"

"I want to see myself," she said. He took his hands off of her. She assumed from his silence he wanted her to tell him she was interested in looking at him. "I want to see you right after. And I want to see the sky, and cars, and all of those things. You know what I mean?"

Hank's voice rose a half-octave, disclosing a smile. "I do. Yeah. I'm excited for you, and I think that you'll find yourself very pretty. Because I find *you* very pretty."

Her head felt like it was evaporating. Becoming sober, falling out of its high. She fell into five separate reveries: the world's color, the mountains' call, the tide's dance, the sky's reach, and the definition of her body.

Hank fell into love's reverie — like all the different people in the world who could see, but not Laila. Everyone felt this overpowering desire to fall in love, except Laila. Laila wanted to know what it was like to know the difference between ice and sky, both supposedly the color blue, but entirely different things. She wanted to know the difference between apples and fire, each owning an aesthetic she could never conceive. She sought meaning for blueness and redness, but never the feeling of love, and never love for Hank. She wanted love for herself, because she existed. She wanted to see it for herself.

"I can imagine... You're definitely a handsome person. If I could see, I would find you handsome."

Hank held Laila's limp hand. He squeezed it and pressed his lips against each knuckle.

***

She ate dinner with her father that same night. Two weeks had passed since their last dinner together because he had been working late.

"There is something I need to tell you." She heard him breathe into his nose — a long drawn out breath — and sighed.

"Here goes." She ate another spoonful of her couscous.

"I know you might be getting nervous about the surgery. You don't need to pretend. Laila, I want you to know things are going to be different afterward. I want you to know it's all going to be amazing... Do you remember what your favorite subject was when you were in preschool?"

Laila continued chewing. There was silence standing between them, and then she felt impossibly small. The silence carried the reminder she would feel visible in such a short time, and thus she owed an answer to her father. She would no longer be invisible.

"Yeah, Dad. Yeah, it was art. But why is that so important?"

He was quiet, and then she heard his glass of water lift from the table. His gulps were loud, and there were many of them. The glass touched down on the table. A moment passed, and then he slapped the table with his palms. "You'll be able to see, you understand? You'll see the things you wanted to draw, and color them in. And you'll be able to know why you loved drawing so much."

Laila felt bewildered. She already knew why she loved drawing when she was younger. It was the freeing motion of her hand. She felt unbent by any power besides her own. Despite never seeing the creations she conjured from her imagination, she felt empowered, as if there were something inimitable and defined within her. From nothing, Laila had somehow invented *something*, even though she couldn't see it.

Her father continued speaking, "And you'll be able to see me, and your friend, Pat — "

"His name's Hank."

" — your friend, Hank. You'll be able to see the food you are eating. Isn't that exciting?" He'd said this plenty of times before, but now he sounded desperate. "I'll show you pictures of Mom. You've never seen her before... and — and she was beautiful. You'll see how you look like her. Everything will be alright, I promise."

She nodded. She was happy now, happy to join the world of the seeing.

***

Two days before her old eyes came out, a car door slammed shut outside. Laila pressed her face against the glass of her bedroom window and listened.

"Hey, Laila! Laila, I'm here." It was Hank, who must have assumed correctly her father was out late again. She used her cane to lead her down the staircase. She opened the front door and waited for Hank to embrace her. He smelled like the air after rain, and too much men's body spray.

"I brought over some of the Chocolate — the opium. I don't know, I thought you might want some."

She worried he was falling for her, but she was immediately relieved at the idea of getting high again. "Yeah. Yeah, come in. We can use the bathroom and blow the smoke into the fan."

In the bathroom, he told her he was mixing the opium with weed and crushing it along the edge of the bowl. She heard the click of the lighter and then Hank's deep breath. Laila smiled, the bowl raised to her lips. She imagined what it was like to see what people normally see when high. Didn't they see clouds and shapes? It was possible.

"Can we draw something?" she asked Hank.

He touched her shoulder and laughed. He was always giddy while high. "What? What do you mean?" he laughed again.

"Can we draw, like on paper with crayons and markers and stuff? I want to draw."

Laila held Hank's arm to balance. The coolest air came rushing towards her and underneath her earlobes. The ground vibrated beneath her, and even stronger, the tremor of Hank's heartbeat pulsed in his bicep as she gripped it tightly. She felt like a beautiful glorious star. Facing Hank with newfound confidence, she grabbed his shoulders and he happily arrived at her lips.

"You want to draw something?" he asked her.

"After. Can you — " she felt Hank's hands cautiously hold her waist. "Can you take me to my bedroom?"

She heard him stammer, and then grip her wrist. He led her to the bedroom.

Laila touched Hank's thigh as he had touched her yesterday. She knew he was someone who was scared like her, but his fear was different. Whenever he spoke her name, he hoped he would sound it out right. He pronounced it slowly as a sacred and lost word.

"Laila."

Her name lifted into the air, ruminating, and flowed back to earth. She understood how he perceived her — as possibility itself, as the chance of evolution in the soul. She was Laila. She was beautiful to him.

"Let me," she kissed him and unbuckled his belt. She pulled off his underwear and he panted at her touch. There, his privates felt like misshapen messes of biology. They were ridiculous in her hands, too overflowing and disproportionate to function under the control of her small grip. She laughed and tried to disguise her embarrassment. She squeezed and pulled, because she figured that was the way to do it. A wave of displeasure squirmed to her eyes from her stomach. She felt forced — she touched him first and was responsible to follow through until the end. In the motions of her wrist was a demand of continuation despite her discomfort. She rushed her way through. At its end, Laila gasped in shock as he finished.

He was breathing heavily and dropped his head against Laila's head. "I... I think I love you, Laila."

She didn't know what to say, but the high basked in her brain now. Fizzling and leaping, killing her other senses. The memory of first meeting Hank came rippling in parts. As she finished home-schooling with her personal tutor, she wanted to meet other teenagers by obtaining a summer job — perhaps a simple one, nothing too daunting. Dad was initially opposed but conceded on the condition Laila participated in a community assistance program, where she could "prove her abilities to function in public," as he phrased it. The idea bothered Laila. Despite this she agreed, knowing his over protectiveness started when Mom died in the car accident, and this was merely one of his grief-induced flare-ups. Mom's accident happened when Laila was a baby, but she knew Dad never fully readjusted. Working the community service program was a single rule in the absence of many to reassure that he was in charge.

As one of the community service volunteers, Hank had been there on the first day — assigned to thirty hours of community service for being caught with possession. They got along well with one another, talking quietly about drug trips and drunken experiences. Eventually, she decided to purchase an eighth of weed from him. He always seemed nervous around her, but interested in her friendship. He lowered his prices for her initially, and then graduated to inviting her to smoke with him. He then got his hands on other substances, opium and acid. She tried every one as long as he was there with her. Opium made her sink into a heavy pool of liquid, her body incredibly aware of everything surrounding it. Acid allowed her to visualize shapeless dots and shadows, transporting her to a musical realm in her mind. Blind — but the blindness was an endless chasm of imagination. It moved something beautiful within her. Laila felt comfortable with him and loved the substances he gifted her, so she never once rejected his advances.

Her life was depleting now from her behind her eyes, emanating out of her. She felt her whole body grow numb, and then incredibly more aware. Minutes passed in quiet. The weight of Laila's mind heaved on the lines of consciousness, and then she awoke.

She felt Hank waiting for her answer, for her to tell him that she loved him too, but she said nothing. He pushed himself closer to her.

"Tomorrow, I'll try and get something else," he gulped. "No more of this Chocolate opium stuff. I promise I'll try and get something good, for you."

Her lips hung open slightly, quivering for a moment as she breathed. She licked her lips and opened her eyelids. Not black, not white, no dreamy images. Nothing. Her blind eyes saw nothing. "Okay."

"Do you want to draw still? I know you wanted to do that before."

She shut her eyes. "No. Maybe after the surgery. When I can see."

***

It was the night before her surgery and Hank had not showed up all day. Did he forget to buy the drugs and was embarrassed to come without them? She wondered what substance it would have been this time. She was interested in anything, everything. Perhaps that wasn't truly a bad thing like most people believed. Some people need drugs because they let them feel real. Some people need to feel real more than others do, and Laila was starving for it. In the saddest part of Laila's heart, she wanted to not only feel real among the wildly moving world, but she wanted to make the world less real. She wanted to diminish it to a fog and be a vast light — one that would be impossible to avoid.

She climbed into her bed and found herself imagining what it would be like to kill herself. If she ever wanted to, she would probably use something horrible and flashy, like a knife to her wrists, or a gun. Her cold body on the floor would cause Dad to cry, and perhaps Hank would cry even harder. They might kill themselves in response. She wondered if her mother would be as sad as Dad or Hank at her suicide, or even sadder than them. She smiled because her tiny existence mattered to these people.

A sound from her window startled her. Then another. Laila got out of bed and opened the window.

"It's Hank," he whispered from below. "Come down."

"I have my operation tomorrow." She held up her finger and listened for her father. "I need some rest before the morning."

"I know... I know. I brought something and I want you to try it."

"Okay." A hot wave of excitement roared inside Laila's ears. It flushed through her head. "Wait," she asked, "how long does it last? Will I be fine for tomorrow?"

"Yeah, yeah," he called back.

Quietly, she made her way down and outside.

"Tomorrow's your surgery, and I looked up some stuff. They don't give you pain medication other than just saline solution and Tylenol and stuff after your surgery. Isn't that awful?"

She considered this. The day of the surgery she was to wear eyepatches and apply solution only when she felt it necessary. The nature of her treatment seemed so easy-going that it frightened her.

"So, I talked to the right people and got it real quick. I have some Oxy... Oxycontin, and I also bought some morphine pills too. The morphine pills are the bigger ones. Here, feel them. We can crush them and smoke them, I figured. It'd be cool."

Laila let her body glide to the possibilities of the high. She wanted to smoke and she wanted to lose herself and feel impossibly real. She wanted the earth to slow down for her. Without a word, Laila held out her palm for Hank to hand her the pills.

He began to say something, but then surrendered. He dropped the pills softly into her palm and she quickly stuffed them into her pockets. "I — " he tried to begin, but failed once again. As she walked away, Hank said the word again, "I — " clearly wanting more of her company.

She continued her way to the door and then faced in his direction. "My surgery is tomorrow, Hank. Wish me luck. I'll see you soon."

She heard his footsteps going back to his car. She went upstairs to her bedroom, dug into her pockets, and felt the texture of the pills. He had given her at least five or six different sizes, some in capsules and others purely mineral. Climbing into bed, she imagined an eternal high.

Opened her eyes, closed them. Opened her eyes, closed them. Opened her eyes. There was nothing, not yet, but it was burning within her. Seething anger scratched the back of her eyelids and polluted her mouth, but she didn't know why. Imagining Hank's nervous voice, Laila nuzzled her face into the pillow and screamed. She was in control of him. She bit her pillowcase. He would do anything she wanted, give her anything she wanted for her to return his love. And she wanted everything. She would see his desperate face soon. The way he looked when he muttered those nervous "I's." Clawing her nails into her arms, she felt pangs of guilt at how excited she was. Warmth pulsed between her legs. She was changing into something mean, something emptier.

Sleep was an inch away for the next ten hours. Her alarm went off at 9:30 in the morning, and her father drove her to the hospital not long afterward.

***

In the fat juice of dream, her eyes poured out flowers. Petals tumbled down her cheeks. Her mouth drooled blood. She slurped it back, tasting its metallic warmth. She lifted her arms and she fell. No — she wasn't falling; she

was dragged through time and space like a hooked worm, infinity splashing around her. There, in her chest, managed a heartbeat bored and soured by love. Hank's voice peeled itself thin to a wire, and then opened to a secret ringing. "I think I love you, Laila." Spinning downwards, her body was massaged by the sensation of doom. Pitter-patter, pitter-patter, slow bunches of hot air pried on the outside of her skin, trying to get inside.

A vibration held in the spaces her eyes used to be. They must have taken them out, put in the right ones, and let them sink into their new homes. Her sockets held weight deep in her face, and she groaned. Her dreams lay flat upon her skin like a blanket of molasses. Hours later, after peeling off the gauze and the cotton, the fantastic light burrowed in, and she awoke. The doctors were speaking in hushed, happy voices. "What do you see? Laila, can you see?"

Nothing, but everything. Everything, but nothing.

"Can she see?" her father's voice resounded.

She opened her eyes again. Nothing, but everything. Everything, but it felt like nothing — it felt like before.

Laila wanted the Oxycontin and morphine in her blood fast. She wanted sleep. She wanted Hank to kiss her and leave her body trembling. Her body dissipated into catatonia without a memorable instant of dreaming.

***

When the anesthesia wore off, she opened her eyes once more.

"Lean back, Laila. Close your eyes for another moment," the doctor said.

Her face felt numb.

"We need to put some eye drops in. It might be a little blurry at first, but..." Trailing off, his voice emptied itself into the background. Through the tiniest of squints, Laila saw an inpouring of radiant light flowing at her. The doctor requested her to lean her head back. His gloved fingers held her eyes open and droplets of saline solution trickled into them. Blinking them shut, her tear ducts drank the cold. He then told her to lean up. "Ready?"

Terrified, she whispered yes and slowly opened the lids which, until now, had only veiled tight empty balls for her whole life. Attacking her eyes were undecipherable images and shapes, free-forming blobs and shifting shadows and lights. She heard her father's voice as he happily cried, but she couldn't make out exactly which figure his voice came from. She turned her head to face where the sounds were coming from, but only saw shapes and indistinguishable figments of something unknown to her.

"Can you see, Laila? Well? Can you see, baby?" Dad cried.

"I think. Yes, I see... things."

Laila felt like something horrible was happening. The whole world was beating against her eyes and swimming in like a hungry monster. Deep in her ears was her ability to make the universe out of nothingness, and here it was presented in front of her. It rippled from the unknown and unfolded before her, incomprehensible. She heard the doctor's voice calling from in front of her but was unable to tell which shape it was from. "Laila, can you tell me how many fingers I am holding up?"

New images cracked against her infant sight. Long ones, less bright than the darker ones, but not long enough to make so much of a difference. "I... I don't know what's happening." Laila started to sob quietly, but heavily, tugging from the bottom of her stomach for the largest tears.

"Honey, you can see," her father's hand touched her face. "You can see, Laila. This is what it's like. This is what you've been missing out on. You just have to learn *how* to see now."

"It should be a few weeks before you fully adjust," the doctor's voice interjected. "It'll happen. Be patient and don't worry."

She felt bolts of anger electrify her chest. He sounded so certain. She wanted to know how to see, but it was all too fast and tremendous. The world seemed to engulf her, swallow her up. There was nothing left of her, only falling and falling and falling and falling and falling. Her tears were quiet as they trailed down her cheeks.

The drive home was decorated with frantic images and more brightness and darkness. Placing her forehead against the cold window, she tried to understand. Were these varying shades supposed to be colors? There were colors that shocked and there were colors that felt plain, whizzing faster away.

"Laila, you're supposed to wear that eye-shield for a week. The doctor said so." Her father tapped the steering wheel.

She ignored him, still absorbing the world through her eyes. Her depth perception was off. She didn't know the difference between near and distant.

"Laila."

She put the shields back on. She shut her eyes and touched the seat beneath her. That felt more natural to her. That way she was able to determine what was what. In the world of the seeing, she wasn't able to distinguish things. Lines and shapes and colors all appeared to her, but how did they connect to form real images? She was told that it would take a little while to learn, but everything frustrated her.

She pinched the skin of her arm until it began to hurt. Her nails dug deeper and she pushed even harder. The pain resonated up her forearm and into her biceps. She imagined if her skin tore, it would bleed red.

Finally home, she asked her father to take her to a mirror. She groped her arms and prepared herself. In front of the bathroom mirror, she opened her eyes. Her fingertips caressed the glass, cold and invisible. She saw the separation of images, almost, but not quite. She felt like she was looking into something physically deeper, like an extension of what truly was. "Dad, I know this sounds ridiculous — but can you point to where my body starts and where it ends? I want to see."

"Laila. Don't be so dramatic," he paused. "Well, the doctor did say it would take time for your vision to perfect itself. You are right *there* — don't you see?"

Laila could feel her father's hands gently tighten on her shoulders and recognized a blur as his pointed finger. She looked again. There was a shape extending upwards. This was her body. This was the life she was given in a universe of shifting and racing particles. This was what collected together to form life, enough to enact sense, enough to sort itself into action. She felt up and down her arm. She touched underneath her eyes and put pressure at her cheekbones. This was Laila. This was the core of existence — a mess of shapes and colors.

"You see. Isn't that wonderful? That's you. You're — you're beautiful, just like your mother." He held back tears.

"Can you please stop comparing me to Mom — and just... just love me for me?"

"Honey, what are you saying? I do love you. I work late *every night* to pay for *your* expensive surgery."

"*You're* the one who wanted the surgery! And it was a *mistake*!"

She shut her eyes, put her shields back on, and ran into her room. She heard Dad moving downstairs and the sound of the television flicking on. She found the pants she wore last night and dug in the pockets for the Oxycontin and morphine pills. Sobbing quietly to herself, she crushed one of each of the pills. With blackness wrapping her sight, she found her pipe in her drawer. The tears burnt her eyes as she smoked out of the opened window. She hopped on the bed and let the tiny itchy sensations ripple across her new eyes. Soon the movement of time slowed to a halt, yet felt beautifully interesting and all-occurring. Laila felt her soul wither down to a bloodless pit of rotten fruit. She was dust, easily scattered. Colors flew in and out of her. Feelings dripped down like rain. Her eyes dried. And love settled in her mouth, at the tip of her tongue, and she swallowed it down. She giggled as the high condensed.

***

One week after the surgery, the doctor removed Laila's shields.

"How do you feel?" she heard the doctor ask her as she slowly opened her eyes.

"I don't know how to see," Laila twirled her hair. She didn't want to let her father down. "...But I'm sure I'll learn. I just need to get used to this."

"Exactly," he told her. "This is common with patients with recovered sight. It takes some time."

The images still didn't make sense to her. She saw shapes and colors, but they didn't contain meaning. At home in her bedroom, with shallow breath, she regarded herself in the newly installed mirror. She poked her skin. Laila on the outside.

But on the inside, she was Laila the lifeless night, untouched by green lights or exploding stars. In the east of her imagined world, there would be no rising sun but a dead ball of ash, and nothing would change. Sight was a version of death; to see, to be seen; it is to reduce and be reduced. Death in all tenets of life. Cold, she cradled herself on the floor by the mirror's edge. Perhaps, she would learn what it meant to see. Someday.

***

Two weeks later, Hank appeared at her doorstep while her father was out late again. "I'm sorry for not showing up after the surgery. I was busy… I got this. It took a little while. I didn't want to come without it." In his hands, he brought sheets of paper and crayons. She felt the gifts. Stuffed at the bottom of the crayon box, she found a small baggie of cocaine. "How are you feeling? Your — your eyes are closed. Can't you see?"

She watched his face. It was blurry, but she focused hard as it melted into the background. "I'm fine. I just like to close my eyes because it's what I'm used to. It's nothing — don't ask about it. I'll draw with you though. Come in." She thought about God and why He makes life on earth if all it leads to is death or boredom. Her wrists hung at the end of her arms, heavy. She gritted her teeth.

The sheet of paper was placed against her table in her bedroom and she attempted to draw images on it, but it felt far away. The colors weren't pretty together. She threw her crayon across the table, annoyed.

"I want you to know, Laila, that I want you to feel good. I want you to be happy. I feel like…" With warm hands he guided hers to his lap, and held them there to centralize her attention. "Is it the drugs? I can get you better ones. I promise. Is it me? I felt like before your surgery, maybe I said a few things too quickly… Maybe I fucked up — or something — by saying that thing… And that's why I went away. But I don't know. Are we okay?"

She stared blankly.

Laila liked the feeling of Hank's hands holding hers because a powerful sadness placed them there. Hank loved her, and she controlled him. It made her feel real.

She squeezed Hank's hands. "Yes. Yes, I'm happy with you. I don't know much about love. My dad never dated again after my mom died, which happened when I was too little to remember. I never had any examples of love, or what it's supposed to be. I can't say I love you, but I feel like you really see me. And I really want to do this," she grasped the small cocaine baggy, "only with you."

He kissed her lips for the first time in weeks and held his face there. He breathed air through the corners of her lips, and she sensed his eagerness and fear.

They snorted the coke, and lightning rollicked her brain's surface. The veins in her forehead pulsed, fire screaming in her ears. Blurs of crayons and paper. She thought to draw a boat on seawater, yes, yes, a boat floating to the furthest island — where the sky, a wound, bleeds infinite red; and monstrous clouds drink and spit the sun's poison; and leagues below the tidal thrash, harmonies crept from the depths. The crayons trembled in her fingers and she dropped them.

Laughing hysterically, she touched Hank's neck. "I feel so real. My god, this is amazing." She kissed him and then straddled him atop the bed. Highways roared in her head and colors beamed, coring up in her pupils with the strongest feeling of desire. It zapped to her lips and her eyelashes, tickling each nerve-ending and then pulling away. The desire was filling her, boiling, shooting. Was this sight? Not completely — but she recognized him more than ever. Laila wrapped her thoughts around it. Was this the moment she wanted to end her existence on earth? No — not yet — she didn't want to die; she wanted to stand tall above life. She saw Hank below her. What a small weak creature. A blob of colors and shapes, still, but she understood him better than anyone or anything else. She ran her nails down his chest and down to his belt, pressing it there against his waist. But there was something fat and slimy rising from her gut. She tossed her face to the side and retched bile the dullest shades of red.

She breathed and coughed. She opened her eyes to the vomit, at her hands, and then up at the mirror across the room. Again, she failed to comprehend. Her shape seemed more animal than human.

A high-pitched ringing spun up from inside her, stringing tight her head. It increased, escalating levels to a fear churning her stomach. The vomit came up again and it burned as it splashed out of her mouth and onto the carpet. She felt Hank's fingers curl around her shoulders, his voice indiscernible in the harrowing din.

Why couldn't she *really* see? What was missing inside of her brain? Was she going crazy? She shut her eyelids and lay down. In the barrage of the noise of her thoughts, Hank's gentle voice filtered through, there were flickering lights, and then darkness.

***

Two months after her eyes were replaced, Laila hung her hands at her sides. The last of the Oxycontin Hank gave to her weeks ago made her heart beat slowly now. Hank muttered something about falling off of the bed. All of the lights in the bedroom dimmed, and then flashed on again.

The lights may have grown overwhelming these past few weeks, but her sight adapted. Shapes made more sense. Colors were easy to identify. Though she saw more in blindness, and she knew that the rest of her life was destined to rely on this fact. She was meant to forever stand up from her dirty bed, walk into bathrooms, look into mirrors, and fail to comprehend what she sees is actually her. The bathroom mirror gave reflections of sharp lines and impossible colors. This was Laila. This was Laila. She touched her face. She pulled at a strand of hair. *This is Laila.*

When she thought on it, she remembered her father's voice at will, but not his face. These days, he spoke at her in reminiscing.

"Your mother loved this yard," he'd said while staring out at the back of the house.

She proudly recognized the swing set and the thick tree to its right but was thwarted by disappointment. It would always be difficult to reconcile these menial places were the same from her memories.

"She was always happy to garden alongside the deck," he continued. "Maybe you could take that up, Laila."

Laila would nod and mutter an answer. Sometimes, she never answered at all. She knew Dad's ambitions for her were too big — she would never become the woman he wanted, nor return to the little girl her mother loved. But still, he must believe there was more to her than there was. She told herself he believed in her; he loved her.

"I hate this," she whispered to herself, beside Hank. "I hate this. I hate this." Her voice rose as she repeated the phrase. Tears were flowing out of her eyes. "I hate this," she said again. Laila pounded against her thighs. She lifted her arms, letting her sorrow become her guide, and pounded again. Hank sat up, confused and high.

"I can't," Laila covered her face. "I don't want to see. I don't want to see anymore."

***

Hours later in quiet darkness, she walked out of her room and to the door of her father's bedroom. She listened for his snores. When was the last time she spent more than ten minutes with him? She was always penned up in her room with Hank, smoking and snorting the last of his drugs. She wished her father might see her more often despite this, but he was busier now, working late into the night trying to pay off the debt from the surgery. The doorknob was cold and pleasing, but she did not turn it. She smirked, remembering how badly he had wanted her to see. Now she could, but was all of the fuss worth it? Perhaps it would have been best if his dream never came true and the surgery never happened.

With her eyes closed tight, she walked, trying to remember how it had been before the surgery. Her hands were feverous and shaking, feeling the pull of the cocaine she snorted minutes ago. Mixed with the Oxy she had earlier, the effect numbed her limbs, fingers, and toes. In the blind hall, she felt the rhythm of her body. Whirling back and forth like a wonderful pendulum. The hall was longer than ever before; Laila felt herself change and grow as she moved.

This is love, this is Laila, and sight is a version of death.

She smiled as she imagined herself as she once imagined herself: a great and beautiful star. She knew her father believed sight would strengthen that self-esteem. Hank might have believed it, too. Orbiting around this wonder, she laughed and contained herself against the wall — held herself there and remembered being happier once. She knew blindness was not a curse cast on her at birth, as Dad made her believe.

Thunder clapped and boomed against her heart's walls. Speeding up, her chest erratically pounded as she breathed. Laila licked her lips, and the whole of her life splashed around her like a waterfall. Listening, the infrequent sound of night drivers and moving fir branches gathered at her ears. A burn lingered at the back of her throat. Every sensation collected and crashed atop of her. Reeling, she gripped both of her arms and squeezed. She wondered, had her mother ever done cocaine? Was she high on cocaine when she crashed that car? Did she ever feel this alive, if only for a moment, even if the moment was just before dying? She saw those photos of her, the ones Dad promised to show her, but she didn't appear like she hoped. She was like everyone else.

When the blood flushed to the back of her neck, she pulled her hair. The sacred boiling point — she knew — and she submitted to it, letting the heat burn at the backs of her eyes. Opening them, the hallway flourished inwards toward her. The door to her father's bedroom fell away.

None of this was what she wanted. It had all been predetermined for her — and it was an ugly world from the start. *Nobody's slave, a slave to nothing*, she decided as the walls rammed into her sides. *This is Laila.*

In the kitchen, she grabbed two knives. This was the only way, it was clear. She knew she could never go back to that innocence from before, but she could make it better. And if she died, she would be freed. But this wouldn't kill her. If she screamed loud enough, Dad would wake and rush her to a hospital. They would save her; they tried to save her once with the surgery and failed, but this time was different. They would notice all of the drugs in her system and pump it all out. They would leave her eyes out, like they were supposed to be from the very beginning.

She couldn't stop smiling now — clean, finally. Practically unscathed. She would never have to touch another drug again because she would have her old body back — the better one — the blind one. Of course, there was a crippling fear, but it meant she was alive. She truly existed, somewhere in her own mind anyway. Gripping a knife in each hand, she steadied her back against the counter's edge. The hot blood came searing again through her veins, shooting up to her fingers now, and bubbling inside of her toes. Closing her eyes, she balanced her wrists and pointed the blades at the lenses of both of her eyes.

She didn't hear her own screams, and her knees buckled beneath her. All the lights and colors didn't exist, barely memories soaring through her; they echoed out her brain and forgot themselves; getting smaller, smaller, to nothing. It was like they weren't ever there at all. Falling, falling, falling, falling, falling, she was just like she used to be. *Laila, this is Laila*. She felt it pump with every burst of agony, and the grim realness sank below her — an entire world swallowed up by her pain.

Sweet Susan

Laura L. Petersen

She ran through the tall flowers. The rough ground tore into her bare feet, but nevertheless she ran. The sun was warm on her shoulders, her fine blonde hair streamed behind her, undulating like the waving field that surrounded her. She strained to keep running. Her lungs were filled with the scent of flowers — light, puffy, warm. She giggled through bursts of breath and tossed her head back behind her toward the sound.

He trudged after her, a pickaxe dangling from one hand. The Sweet Black Eyed Susans grew as wild and high as his thighs but rather than walk between them, he walked through them, pushing them down and trampling them under his feet like baby birds fallen from their nests. He crushed each one like it didn't need its life, like there was enough life and it was running away from him as he watched.

She tripped, once. As she landed on her hands and knees, the scent of the crushed flowers overwhelmed her. The smell hit her nostrils and fled down her throat, choking her. She gagged. When she caught her breath, he was closer. She laughed and got to her knees. "You can't catch me if you don't run," she shouted. Then she was up — her giggles thrumming through the Sweet Black Eyed Susans again.

When she fell, his heart jumped like a fish caught in a trap. He was too heavy — everything was too heavy, to run. All of his concrete bones held him to the spot. There would be no running today. The sun glinted off everything — the yellow flowers with dark buttons for centers, their green stalks, her shiny hair, the blue sky — it all seared his eyes and glued his brain to his forehead. Would it seep out? The pickaxe became a cane, and he rested on it.

She tugged at her dress so that it fell just below her knees. Her momma would be calling her to supper soon. She couldn't play tag with this man for much longer. She was starting to remember she should be afraid of him — her momma had taught her to be afraid of strangers — but she felt sure in her legs and lungs, like many children at age nine or ten, that she could outrun any adult.

He raised the pickaxe to his shoulder Paul Bunyan-like. The bright field and burning girl raged behind his eyes. She was no more than fifty yards from him. If he could bear the weight of the light, he knew he could catch her and have her. He could keep her and teach her.

When he stopped to lean on the pickaxe, she thought she'd won. Though she'd have to circle back behind him to reach the house, she was certain he still wouldn't catch her. She was known as a fast runner. The best runner at her school, in her grade, and even two more grades ahead of her. The *boys* couldn't catch her. "I beat you!" She laughed at the grownup who couldn't keep up, and then she stopped short.

Her taunt brought his power back. He could see how easily in reach she was. The wind picked up, carrying a coolness with it that stretched across his face. Relief. Now he could do his work. He wiped his brow with his free hand, the pickaxe still balanced on his shoulder. Now he could finish this and move on to other work.

Momma called her by her middle name (a family tradition), though she liked her first name better because when shortened it was the name of her favorite flowers growing in the field across from her house. Plus, Susan was easier to spell and fit her personality better than Suzanna Ophelia. She looked over her shoulder as the man took huge strides toward her, crushing her beloved Sweet Susans.

She wouldn't get away like the others. If she tripped again, he'd be on her. He'd not let a second opportunity go by. He swung his legs in front of him, killing flowers, insects, worms, dirt. He marched now, determined to reach her.

She ran. As hard as she could, she ran. Out across the field, she led him to the other end, to the dirt road to the McAllister place. Old Mr. McAllister was a good man with a candy dish bigger than his heart. He was never a harm to the children. Susan's mother allowed her to visit with him and take his candy, with the admonition that she shouldn't take more than a few pieces. It was impolite and she'd spoil her dinner. She only let her do it because Mr. McAllister went to the same church as them. He was a "D Can" or some such.

He stopped at the edge of the field where the road began and looked back at the path he'd plowed with his feet through the bobbing Sweet Susan heads. He lifted his chin and took in the scent of thousands upon thousands of flowers on the wind. He stepped out on the road and turned toward the McAllister place.

The gravel made her feet slip and fly. It was different running than the kind you could do in the field. It was faster, but not as much fun. She picked up speed.

The pickaxe was heavier now. The heat on his back made him sweat through his shirt. When he stepped out on the road, the gravel broke under his feet, the sound of it like tiny bones grinding up into nothing.

Susan could see the house at the end of the road. It floated about the ground in the heat waves. One peek over her shoulder and she could see that he was moving faster on the gravel, too. She'd have to run like the girls in the Olympics she'd watched on tv if she was going to beat him to the front porch and inside the house where she could hide.

He heaved the pickaxe over the back of his neck and across both his shoulders. That way, he could prop his hands over the handle and lean into the road. He picked up his pace.

Susan stumbled, but she kept her feet beneath her. She looked back every few seconds now, afraid he would catch her before she made it to the porch. She had to make it to the porch. The porch. Make it to the porch. Watch the man. Make it to the porch. Her throat burned.

He dug into the road now. His steps were more certain on the gravel. No flower stems to bind his feet. It wouldn't be long. His stomach fluttered in excited anticipation.

Susan panted and tried to catch her breath. She had never run this far for this long. She knew she could do it, though. The house was right in front of her. She didn't see old Mr. McAllister's car in the drive, but that didn't mean anything. His wife often took it to go buy candy for the bowl. She might be doing that now. One more look over her shoulder. She should stop looking. It was too scary and made her slow down.

He could hear her panting now. Her breath was ragged and short. She was running out of steam while he was just gathering his. She stopped turning to look at him. That was too bad. He enjoyed the growing uncertainty on her face. The expression asked him a question he liked answering: Why are you scaring me?

Sometimes, old Mr. McAllister left in the car with his wife to help pick out the candy. On those days, Susan would turn around on her bike and head back home. Today, she wished hard for her bike. He'd never catch her on her bike and she'd be home right now, drinking from the garden hose, the warm water tasting like rubber, but *so good*. Please be inside, Mr. McAllister!

Her little blue dress crackled in the sun. So pure, so soft in his mind he could almost feel it. The sun made red circles behind his closed eyes. He could walk forever. For as long as she ran and then on for an eternity.

The front stoop was empty. Susan was sure there was no one home this time. She tried the door anyway after dashing up the front steps.

He watched her struggle to open the door. She tugged at the knob, leaning back as far as she could, pulling harder. He stopped at the bottom of the steps to watch.

Susan turned, her heartbeat sounding in her ears and the blood whooshing louder.

He swung the pickaxe off his shoulders and propped it at the base of the steps. She was beautiful. Her blonde hair ragged from the run, her cheeks flared with the heat of it. She stood there facing him.

He wasn't scary up close without his pickaxe. He looked like her father. His hair was thick and dark and there was a smile spreading across his face. He probably had a little girl just like her. Maybe by mistake he thought she was his own little girl and that's why he chased her so hard — to catch up and scold her for running away from him. Susan stepped forward.

Oh! Was she coming to him? How unexpected!

She tiptoed to the edge of the porch, her breathing settling now. Maybe he knows Mr. McAllister. Maybe he was coming to see him for a visit.

"Ophelia?" He was confused but excited by her bravery. She should fear him completely. This was different.

"How do you know my middle name? No one knows my middle name."

He took the first step.

"Have you seen my daddy? He's a big, tall man and he could beat you up."

He smiled and took the second step. Children think their fathers are giants on the earth. He was a father once.

She backed away from the edge of the steps. He was getting too close now. She searched for a place to run and hide.

He watched her as she backed away. How delicate she was! So like a tiny porcelain doll with tiny feet and hands. He took the third step.

She saw some missing slats in the porch railing to the right of the door. "Here comes my daddy now," she said as she tossed her chin in the air to point behind him.

He knew she was making a ruse, and he pretended to fall for it. He looked back over his shoulder with all the leisure of the world at his calling. When he turned back, she was gone. He took the final step onto the porch.

She squeezed herself out between the broken slats and jumped to the ground. Afraid to circle back to the front where he'd surely catch her, she fled toward the barn behind the house. Her breath was recovered but now she was thirsty from the long run and the fear she had of the man. Now she knew he was bad because he didn't say he knew her daddy and he kept walking toward her. It gave her no comfort that he left the pickaxe at the bottom of the stairs. She could imagine that he had it over his shoulders again and was headed for her now.

He walked to the door and tried the knob. Most people left their doors unlocked in these parts. It was and he entered the house. The coolness hit him in the chest. He took in a great draft of air and headed to the kitchen. It was small and country, but it had a refrigerator filled with cold sweet tea and ice water.

She didn't turn to look over her shoulder this time, she ran flat out. The barn was about two hundred yards from the house. She fled over the ground, darting around and jumping over farming implements and gardening tools. Her movement through the air cooled her sweat, but not nearly enough. She cried as she ran, making it harder to get the air she needed.

He drank tea from the plastic pitcher. It ran down his chin and pooled on the floor. He took the glass pitcher of ice water out of the refrigerator next and splashed it over his head, the water cascading down his coveralls and around his work boots. It felt good. It was renewal.

She made it to the barn and climbed the ladder to the hayloft. She'd been up there before. She and her friends, Margo and Elaine, would crawl up there with the candy Mr. McAllister gave them and play. The barn smelled comforting — a mix of sweet and warm hay, cow's milk, manure, and the dry wooden beams holding everything together. She lunged for the loose hay and lay there, catching her breath and watching the back of the house for any signs of him.

He wished he had more time. He enjoyed going through other people's things, as he often did while they were away. When he was hot or thirsty or hungry, he'd look for houses with no cars parked in the driveway and that's where he'd rest or drink or make sandwiches. He never left a trace. He sometimes came close to getting caught as a car now and again would show up out of nowhere. But he never did. He was careful.

Susan's thirst twisted her guts. She knew where the trough was, but she'd lose her view of the house if she climbed down the ladder. Old Mr. McAllister kept a couple milk cows and a horse in the barn. They were feeding in the field out back. The water was the only thing she could think about. The way it felt in your mouth, on your tongue. How it slid down your throat and made the muscles in your neck work. How cool your skin got as it filled your belly. The *glunk, glunk, glunk* of it as you swallowed. She climbed down the ladder. To drink, she'd have to turn her back to the open barn doors.

He walked through the house, peering into the rooms as he headed to the backdoor. He'd had a family. They were all he had in this world. He loved them with a heart full to bursting. His son and his wife — Keith and Teresa. They were his reason for living. Then the fire took them, ripped them from his arms. It changed him in ways he couldn't have imagined. In ways he was still discovering. A boiling hatred for things that once gave him delight grew inside of him and made him a monster. He walked to the backdoor.

Susan tried to drink from the trough like a horse or cow would, but she couldn't lap at the water fast enough and it kept getting in her nose. It was ice cold, probably poured into the galvanized tub by Mr. McAllister that morning. She finally plunged both hands into the water and brought them to her mouth. Her small hands couldn't hold enough to slake her thirst. She dipped them in again and again, slurping up all she could, spilling most of it down her front.

Keith died first. He'd stopped thinking about himself as a father faster than he thought possible. He picked fights with Teresa as she lay in the hospital where they treated her severe burns. Then she came home. Things got worse and she died after an argument they'd had while they were drinking. They drank all the time after Keith died. They drank as if it was a full-time family business. He shoved her out the door one night and he found her the next day, her body thrown down the embankment by a hit-and-run. He worked his potato field and kept his eyes on the tips of his shoes while the disease that turns good men into monsters grew in his heart. He was past trying to control it. When the girl appeared (a girl whose name he heard one night when her mother called her to dinner), he hadn't seen anything that matched her beauty in more than a thousand days and a thousand nights. He stepped out the back door, closing the door respectfully behind him.

Raising her head at a noise behind her, Susan stopped drinking and held her breath. She had a wide view of the house. It sat square in the sunshine. She cried, wishing Mr. and Mrs. McAllister were home. She trembled and the water dripped off her chin soaking the front of her new dress that her momma had just bought. She wasn't supposed to wear it until school started, but it was so pretty she just *had* to put it on for a little bit. *Then* it looked so cute she just *had* to go outside to play in it. That's how she ended up in the Sweet Susan field across the road from her house. She wanted to sit next to them and show them the flowers on her new dress.

He moved to the shadows behind the house so he could watch her. She was drinking from a trough. He grimaced. She deserved better. His lost heart, the one that loved his family, panged for putting her through this, but only for a moment.

The sun was in her eyes. She backed away from the trough and the open barn doors. The sweet hay and manure smell made her feel safe and lulled her into thinking she might hide from him and he'd give up, go away. Heading for the back of the barn where the animal stalls marched along the wall, she felt safer. He wouldn't find her, the McAllisters would come home, and she could run back to her momma.

He saw her dart away from the trough and head for the back of the barn. He was inspired to sing to her — a flower song seemed like a good choice. He grinned and cleared his throat:

Daisy, Daisy give me your answer, do.
I'm half crazy, all for the love of you.

Chills ran up and down her body at the familiar words and the good way he sang them. Maybe this really was a game and he wasn't a bad man? The stall was right in front of her. It was one old Mr. McAllister didn't use anymore. There were all sorts of farming tools and boxes stacked and tossed about; good hiding places. She could stay there until she figured out when it was safe to come out.

He strolled into the barn, humming the song and rubbing his hands along the seams of his dungarees. It was like this was meant to be. No one home, the barn empty of animals, his girl nestled in some cozy crevice.

She stumbled over some rope and banged up against a stack of wooden crates. He stopped singing.

They both stood still, their feet braced against the earth, holding their breath.

He turned toward the noise. So close.

She shook hard, standing in the stall with her hands balled up into fists. Urine ran down her leg.

"Hey, girl!"

His voice charged her into motion. She jumped and turned toward the stall opening. He was there in the middle with his hands at his sides. She didn't look at his face. Not his face. Never his face.

"I'm not gonna hurt you, honey."

She didn't listen. There was a rake. She kicked up hay on the floor as she ran for it. Grabbing it with both hands, she flung it in his direction and flew out the barn doors.

He knew his voice was soothing. He used it to calm his cow when she calved. Before that, he'd sing to his boy when he was an infant. Put the kid right to sleep. It would work on the girl, too. She almost came to him. He should have kept singing.

She somehow got past him and kept running. She ran around the side of the house and across the front yard as hard as she could. Her breath scoured her chest and her legs burned. When a stranger says they won't hurt you, they're lying. She heard that on tv. Just because he was a good singer, didn't make him a nice person. She stopped thinking and ran on instinct back through the field where her home waited for her across the road.

He turned and ran after her. He'd catch her this time. The sweat soaked his shirt on the back and under the arms.

Her bare feet had taken the brunt of the running. They were blistered and sore after the gravel. When she reached the field, the throbbing somehow stopped. Large, soft, cool clumps of turned over soil soothed her wounds and gave her back some of her energy. She ran even faster.

He got to the edge of the Sweet Susan field just after she set foot inside. He'd be on her in seconds, his hands in her sweet blonde hair.

The running got way easier in the field. She kept her head straight and her arms pumping at her sides. Her breath was steady and sure.

The loose dirt under his work boots slowed him down. He was out of breath by the time he made it to the field and now it was a trudge. He slowed and she gained.

As she ran across the field, her feet became stronger, her legs quicker. She refused the urge to look back. Susan kept her wind and sailed ahead.

He clumped after her, falling farther and farther behind. His boots mired in the dirt. They were getting tangled up in the roots and weighted down more and more by their own heaviness. His rage was enormous. He longed for his pickaxe.

Something made her slow. It was just a slight shift in the wind, or maybe a feeling washed over her she couldn't grasp, but she knew she was beyond his reach. She wanted to look back but was still so afraid.

The flower stems began to wind up his legs. He struggled against the tugging, tearing, sucking Sweet Black Eyed Susans. He tore at them with his hands, but there were too many. They replaced themselves after he would rip them free.

The sweat on her neck picked up the cooling air making her shiver. Could she turn around now? As the thought occurred, there was a tremor in the ground. It was slight, but it pulsed under her feet, alive in the earth.

He stood with his arms outstretched, away from the entwining flowers. He kicked and stomped, trying to shake them off. They were clambering up his pant legs. They were breathing, sighing. He reached down to tear them away, pulling the heads off, flinging the shredded plants across the field, but they grew back, or were replaced. The earthquake threatened to knock him to the ground.

Susan kept running, but her pace was slower. She overcame her fear and turned around to look for the man. She prayed a little girl's "lay-me-down" prayer (the only one she had memorized). She kept running.

The earth stopped quaking. The flowers were twisting their way up to his waist now. He howled and tore at his legs, trying to keep his hands free, peeling the heavily-scented flowers off only to see them climb back up. He realized they were trying to smother him.

She heard him scream. The sound curled around her heart and squeezed. She saw him at the edge of the field where the McAllister's driveway left off. She slowed to a walk and kept her head turned back over her shoulder, her body pointed toward home.

Flowers were at his throat now. He panicked. He tore at them, digging his fingers into the skin on his neck until he bled. It was futile. They kept a relentless pace until he was smothered from head to toe in Sweet Black Eyed Susans.

He looked bigger, bulkier. She quickened her stride, but kept her eye on him, turning her neck back, straining to keep her body moving forward. Why wasn't he running after her?

He could still breathe under the tangles, but his mouth and his arms were at last sewn tight. He growled, a muffled sound from the back of his throat.

When she could see that he wasn't chasing her anymore, she stopped. He looked like a giant anthill she'd seen one time when she visited relatives. It stood way taller than she was; taller than the flowers, even. Her uncle told her not to get near it, that the ants would swarm her and crawl all over her, biting.

He could only move one little finger next to his leg. He was helpless under the weight of the flowers as they twined around him again and again. His eyes were left uncovered. He could see the girl. A great madness burned in his eyes.

She squinted at the anthill man.

The rustling flowers whispered in his ears. The girl stopped running and had turned around. His lungs were clamped in his tightening chest. Breathing was harder.

She stared at him for the time it took the sun to drop visibly lower in the sky. Something told her he was harmless now and that she could leave. It wasn't a voice, exactly. It was more like a feeling that traveled from her feet to her ears. It sounded like the flowers were whispering to her as they closed their heads for the night. She took one last look.

He suffocated where he stood, covered in a huge mound of sleeping flowers that would bloom again in the morning.

Susan's mother cried and sunk to her knees when her daughter ran through the front door as if something were chasing her. But she was relieved and grateful to God who had surely saved her little girl from great danger. "Where have you been? I nearly called the police!"

In the field, momma, she wanted to say. Instead, she said she'd stayed too long at the McAlister's and ate too much candy. When she felt sick, they said they were going to call her mother. "I ran and threw up in the flowers."

This was nonsense, of course. Mother's hear a lot of nonsense and know what's what in short order. Still, she was home safe now. That's all that mattered. Tomorrow, she would have a stern talk with her.

Momma made her take a bath soon after she'd run through the front door. Her feet and legs were streaked with mud. First she was scolded, but not too harshly. She was made to take her dress off so it could be washed. But as she lay in bed, tucked under a soft downy comforter, and listening to the frogs singing outside her window, sleep called and she accepted the invitation despite her trauma, and sunk into the blackness.

Outside her window, a lone Sweet Black Eyed Susan fluttered with the night wind. Its petals were awake and fluttering through the air. Something keened in the distance, but it no longer mattered.

The First Tattoo

Hannah Melin

"No, I graduated last year — are you still in college?"

Eric Lancaster nodded with faux enthusiasm as he watched the redheaded girl's lips move. Her response was lost over the noise over the venue. He tried to keep eye contact as four more women pushed past him to the tightly packed bar. He grinned and nodded at the redhead. Her mouth moved again and she looked over her shoulder towards the stage. Eric leaned in, yelling into her ear.

"Do you come here a lot?"

The girl responded with a four or five-word sentence, some kind of explanation Eric couldn't hear over the song's bassline. She looked back to the stage and Eric followed her gaze. They were a half-decent collection of musicians about his own age, ripped jean-types who Eric knew would finish their night in the bed of a girl whose last name they'd never know. This downtown basement venue was far from Eric's usual scene, but Prayna had asked him to tag along. She'd hugged him outside the doors and Eric found himself lingering on the smell of her mint shampoo before Jackson, her newest boyfriend, interrupted to ask if she wanted him to hold her jacket

Eric had taken Prayna here before. He'd never been fond of downtown Cleveland, but she loved the current of crowds in a way he'd never been able to feel. He spent most weekends fighting traffic down I-90 just to let her hop through the waves of people.

The redhead shouldered her way back to the edge of the bar. She gave Eric an apologetic grimace and sipped the drink he'd bought her. He read the tour dates on the back of her shirt as she turned her attention away from him. The band would be spending the next two weeks in Ohio. Eric wasn't sure why Prayna insisted on going tonight — they had four more shows lined up for the city. Making a tour shirt for a three-state tour seemed overly optimistic.

Eric let his smile drop as he scanned the crowd for Prayna. He spotted Jackson first, as he stood nearly a foot above Prayna's petite frame. Prayna was bobbing along to the percussive-heavy pop music and Jackson put his hand on the small of her back, his fingers spreading wide enough to nearly stretch from hip to hip. Eric had a flash of what his own fingers looked like when they wrapped around Prayna's back, the way she liked him to hold on to her hips when she rode him, before he found out she liked men with wider hands and stronger grips to hold on to her that way too. Eric downed the last of his rum and coke before turning back to the bar. The redhead had disappeared. He ordered another drink.

***

He woke up bleary-eyed to the smell of copper and tin on the mattress. The late morning sunlight heated up the room in a way that made his stomach flip over its remnants of bar food. His bedroom felt claustrophobic on a good day, but with the kicked-over piles of laundry and twisted-up bedsheets at the foot of his bed, the space closed in on Eric. There was a full-length mirror his mother had placed on the wall across from his bed ("to make the space feel bigger, Eric,") but it only served to redirect a slight beam of sunlight into Eric's eyes.

There was an inkblot smear of ruddy brown on his worn blue pillowcase, run through with a railroad map of black lines. As Eric sat up to look closer, the bee-sting heat from his left arm struck him. He twisted his arm slowly, palms facing up, to look at the heat source on the inside of his bicep.

An inch above his elbow stretched a pin-up tattoo of a woman in recline, the lines raised and raw. Drawn and shaded in black and grey, she wore a skintight, high-waisted skirt that flared out as if caught by a breeze. Her hair, thick and wavy, curled down to her hips and she was permanently winking up at Eric, her eyelashes drawn thick and exaggerated. Dark locks of hair flowed in the imagined breeze, the ends curling to provide a scrap of modesty over her considerable breasts. The woman's legs were long and curved, as were her other limbs: her arms, and her arms, and her arms, and her arms. The tattooed woman had eight of them: evenly proportioned arms that draped across her body, through her hair, on her hips, and across her thighs.

Eric had never imagined himself to be the kind of person to wake up with a tattoo of a barely-clothed woman, much less one with a number of arms higher than two. Head pounding, he squeezed his eyes tight and rubbed his palms hard against his sockets. He blinked them open to see the black and grey lines of a woman still winking up at him from his left arm. Her lips were unshaded but the pinkness of the raw skin gave her smirk a vibrant shade.

He threw back his mind to the previous night. He remembered arriving downtown to see The Honey-Guzzlers. He remembered three drinks before the opener had finished, and another two during the second opener. He remembered two or three girls he'd tried to talk to when he'd lost track of his friends. He remembered Prayna laughing while she danced with him and the stone-eyed looks from Jackson. That was all.

He grabbed at his phone, which was sitting dead on his nightstand. He plugged it in, waiting for it to turn on while he made coffee. His wallet and car keys were where he usually tossed them on his kitchen table. He hoped he hadn't driven home.

He ran cold water over the tattoo, wiping at the crusts of dried blood with the side of his hand. He was still in his jeans, although his shirt had gone missing.

The phone finally blinked on and Eric grabbed it, checking for notifications. No texts, no calls. He sent a text to Prayna: *Where r u?*

He finished his coffee while he waited for her answer. A few minutes later, his phone dinged.

Home. You?

Same. Did we go out last night after the show?

Jack & I. Lost you before the end of the set. Drink too much lol?

Must have lol

Eric cursed and clicked on his photo library. The last picture was of Suzie, his Mom's goldendoodle. He scrolled through his call history, his old texts, and his Google Maps to similar results.

He looked back at the winking woman. As first tattoos go, it was decently enough drawn. He'd have to wear a lot of long-sleeves when he visited his family, but that was survivable. His stomach heaved again and he rushed to the bathroom.

A long shower and a three-hour nap later, Eric threw on his work polo and made it to his closing shift at the sandwich shop with fifteen minutes to spare. When he walked in, Leo was already pulling off his apron and his hairnet. The hole-in-the-wall shop was, as per usual, empty. Eric leaned against the counter, waiting for Leo's attention. Leo was a dozen years older than Eric, but he'd never quite given up his frat boy days; Eric liked how little effort it took to get Leo to spill the details of one escapade or another. Leo gave him a brief nod and stuffed his apron haphazardly into his locker.

"You, uh, in a hurry?" said Eric.

"Mhmm."

"The shop slow today?"

"Mhmm."

Leo pulled on his backpack and signed out on the POS. Eric checked the clock.

"I guess I can cover for you," he said. "I mean, that's fine."

Leo clapped him on the shoulder as he passed, heading for the door.

"Thanks, dude. I got a hot date, can't miss it."

"Yo, you got a chick, you didn't tell me — "

The bell above the door chimed as Leo made his way out. Eric sighed and settled himself in behind the counter, kicking up his feet. A full hour passed before a customer came in, and forty minutes before the next one. Leaning against the cold-cuts fridge, Eric rolled up his left sleeve. There was some crusted blood on the inside of the shirt, but the ink hadn't stained the fabric. The tattooed woman smiled at him. Even though the redness of his skin had mostly faded, her lips were a vibrant crimson. Looking closer, Eric realized it was actually a flake of dried blood across her mouth. He scraped at it with his fingernail. Her lips were warm. Eric placed a bit of pressure across them, feeling the tinge of pain through the heat of the skin. Her lips rested on top of a heavy vein. Eric could feel his heartbeat on the tip of his finger, the steady ba-dum that rolled just under the woman's lips. He raised his fingertip to his own lips. They felt colder than the woman's, and he couldn't feel his pulse beneath them; the veins running under that skin were too fine to find.

After work, Eric had a few beers and texted Prayna again. She responded with a selfie: she was smiling brightly, her brown eyes shining under the thick frames of her glasses. Her dark hair, which swung past her shoulders when she danced the night before, was now cut to a short, geometric bob.

Look what I did!

Eric thought about the way her long hair would fall in front of her face when she studied, the way it caught the light when she flipped it over her shoulders as she laughed at his jokes, the way it would catch under his fingers when he ran his hands through it. Eric looked at the bob and he hated it. He texted her back.

Looks cute!

Eric had a few more beers and went to bed early.

He dreamt of Prayna's hair.

He stood before her and she was a towering giant, sitting cross-legged in front of him. She looked down at him and her hair fell forward, hanging in front of him like a jungle of cocoa brown vines. He grabbed two handfuls of her hair and began to climb. The smell of peppermint stung at his eyes, burning his sinuses as his breaths grew faster from the strain of exertion. He pushed himself harder and felt the pain in his upper arms, which began to tremble as he got higher. Tears crept to the corner of his eyes from the peppermint sting and his grasp ached. He reached a hand higher and felt his grip slide, the dry hair slick with a dark substance. He grabbed desperately with the other hand, only to have it slide down as well. He slipped several feet down and tried to scramble, but he couldn't find any hair that wasn't covered and slick. He slipped further and further down, getting tangled in strands that tore and cut into his skin. His vision darkened as he fell, all of the cedar-warmth of Prayna's brown hair replaced with a jet-black. Just as Eric's grip failed him and his fingers released their tenuous grasp, he realized the cutting smell of mint was gone, replaced with the dull, metallic smell of ink.

Eric blinked awake. Early morning sunlight had begun to filter through his blinds. His fingers felt numb. He realized he'd fallen asleep on his side, trapping his left arm under his ribs. He shook the arm free and let the static tingle in his fingertips fade. Despite sleeping on the arm, Eric realized the pain of the tattoo had faded.

He flipped over his palm to get a good look at his left bicep and found it blank. No ink, no redness, no pain, just a swathe of pale skin. The tattoo was on his right arm.

The woman winked at him, her arms twisting through her hip-length hair. Eric traced his fingers around her form. There was no pain. The skin was warm.

Eric had been certain that the woman had rested on the opposite arm, but as he looked down at her curling smile, her head resting on one of her many hands, he felt doubtful. The tattoo was just as he remembered it. It was on the inside of his upper arm, just as he recalled. The lapse in memory spooked him, but it wasn't too impossible to assume he misremembered the side.

Her lips had a flake of blood on them again. He scraped at it with his fingernail. When he moved his hand, the vibrancy of her lips was gone, but the pink tint remained. He looked at the small carmine curve left under his fingernail. With a slight tremble in his fingers, he noticed the identical crescent moon of deep red on the opposite hand.

He curled his right fingers inward, trying to reach the tattoo with that finger. His reach ended centimeters above the woman, hovering. Eric pulled on a sweatshirt immediately, even though the weather was too warm for it, and headed out to the last place he remembered.

The venue was closed when he pulled up in front of it. The late morning traffic trickled past as he stood on the downtown pavement. The street looked washed out during the day, lacking the bright neons and flashing headlights and waves of people passing in and out of clubs. Eric threw his mind back, trying to recall steps to retrace. He sniffed at the air, feeling foolish, in hopes of catching a familiar scent.

"Fuck me." He paced up and down the sidewalk for half a block, eyeing shopfronts suspiciously. As the sun rose higher, growing more and more uncomfortable, the greys and browns of the buildings felt more like the sheer cliffs of an unknown and unwelcoming desert valley. Eric removed his sweatshirt, letting unfettered sunshine fall on the tattooed woman for the first time. Immediately, his bare skin felt cool, the light breeze like a damp cloth to fevered skin. He reached to the inside of his arm to trace the figure again and found he was reaching for the wrong spot. She smiled at him from the outside of his arm, two of her arms stretched over her head to tickle at his shoulder. One of her high-heeled feet hung down to hook itself around the crook in his arm. Her dark lines glinted under the sheen of sweat, bright and visible to the world.

Eric became aware of how wide the sidewalk was, of how many windows looked down on him unobstructed. An animal instinct surged in him; he felt too exposed, too open. He doubled his speed as he headed back for his car. Cursing his luck, he saw from a block away that there was someone in uniform standing next to it, writing on a clipboard.

"I'm here, I'll move it, I'm right here!"

The figure in uniform paused her writing. She had on an orange traffic warden vest that clashed terribly with her auburn curls. Although her sunglasses hid her face, she was younger than he expected, probably only a few years older than himself.

She gave him a sympathetic look. "I already filled out the ticket. You're not supposed to park here on Sundays."

Eric sighed and sat himself on the hood.

"Thanks for being civil about all this," she said.

"You must put up with a lot of assholes."

The woman laughed. "Yeah, a lot of guys put up a fight."

She ripped off a sheet and handed it to Eric. She eyed his arm. Eric couldn't tell if he imagined her gaze lingering.

"That's a cool tattoo."

"Yeah, it's new. I just got it."

She beamed at him. "It looks great. I'm thinking of getting one. Can I?" She reached a hand out. Eric failed to look nonchalant.

"Totally, go ahead."

The woman stroked the tattoo lightly with her fingertips and an electric hot pain shot through his body, doubling him over. She jerked her hand away, but the burning waves continued to ripple through his body.

"I'm so sorry, I didn't mean to — "

"It's fine." Eric gritted his teeth and righted himself. The ribbons of heat were shrinking, becoming a lighter ba-dum pulse of pain.

"Do you need me to call someone?"

He tried to square off his shoulders, which hunched in of their own accord. He grabbed the ticket, waved her off, and climbed into his car, driving at a much slower pace.

Eric pulled in front of a liquor store two blocks from Prayna's house. He double-parked in the closest spots and made a beeline for the back of the store, where the cloyingly sweet moscato she preferred was kept. He tried to keep his eyes on his feet as he passed a girl in a too-small crop top with a whiskey company logo on it. She leaned against the plastic folding table, decorated with colorful cardboard marketing.

She said something as he passed, but the rotary drumming in his ears was too loud to hear. He grabbed the pink bottle and doubled back down the aisle, tossing a twenty on the counter and walking back to his car, focusing on the heartbeat thrum of pain he could feel pressing against the back of his eyes. The cashier barked a complaint and the security alarm chirped, but no one made any move to follow him.

The noonday sun beat down as Eric arrived at Prayna's. The light glinted uncomfortably off the complex's windows. Eric's vision was a narrow wedge, surrounded by a migraine-whiteness, but he could make the walk to the third-floor apartment blindfolded. He made his way up the stairs, his eyes screwed shut against the pain as he banged at her door. He hammered his fist against the wood again. When no footsteps approached, he slumped against the doorframe. He unscrewed the moscato bottle (*she doesn't even drink wine with a real cork in it,* he thought) and took a swig of Prayna's drink. Eric wrinkled his nose at the sweetness and took another swig.

***

Three hours later, Eric blinked open his eyes. He scraped his tongue against his front teeth, wincing at the foul taste. Prayna leaned over him, her features cast in near-silhouette by the fluorescent light above her. Her short hair caught the light in hundreds of sparkles, the newly shorn style now a nest of flyaway hairs. Eric thought she looked like a dandelion growing on the side of the interstate. A scrawny, soot-covered weed that would shatter itself irrecoverably the moment it got caught up in the wind of a passing eighteen-wheeler.

She pulled the empty bottle from his grasp. He couldn't have held onto it if he'd tried; he'd fallen asleep against the wall and CRT screen static tickled through his right arm.

"Eric," she whispered. He didn't know why she bothered to keep her voice low. They were alone in the hall.

"Your hair looks nice," lied Eric.

"I'm not going to keep doing this with you, Eric."

Eric snorted. "Yeah, you are."

Prayna stiffened and pulled her denim jacket tighter. She grabbed at the air around her shoulders, her fingers catching on nothing, before she found the ends of her hair, several inches above where it used to be. She twirled a thin lock around her finger.

"You used to be nicer."

"Yeah. Probably."

"Jackson's going to be here soon."

Eric shot up, ignoring the bright surge of nausea as he struggled to his feet.

"You called him?"

"No, I didn't call him. Christ. He left his work shoes in my room. He doesn't know you're here."

Eric stared at her feet, his vision hazy. Every time he tried to read the look in her eyes, a pulse of heat and ache swelled at his vision, forcing his gaze down. He could only focus on the fuzzy edges of her flyaway hairs and the shapes of her clothes.

"I drank your moscato. It was supposed to be for you."

"It's fine, Eric."

"I dream about you sometimes."

"Don't, Eric — "

"I miss you, sometimes."

"Eric — "

He squinted, trying to read her expression. He could hear his blood rushing past his ears. He still couldn't see her face.

"Can I drive you home?"

"S'fine," said Eric. "I'll get an Uber." He stepped to the side to pass her, but she caught him by the arm. His breath caught halfway, her touch searing into his skin like a brand. His throat worked desperately, spasming violently as it tried to bring in air.

"You're bleeding."

His right shirt sleeve was plastered to his skin, the blue fabric blackened with blood. Blearily, he saw a thin trail of ruby run down his arm, twisting around his wrist. Prayna's palm was glistening red where she touched him.

"Oh my god, do you need to go to the hospital?"

"I don't need to go... to the fucking... hospital." Eric's tongue felt clumsy. He spat out his words when they failed to come easily.

He leaned heavily against the wall again, vision blurring white.

His attention halfway roused enough to hear Prayna's voice. Another lower voice spoke. He felt a large hand on his shoulder and braced for the searing pain, but it only felt cool to the touch of his feverish skin. He closed his eyes again and let his weight fall onto the tall figure in front of him.

***

The next time Eric roused, he realized he was being carried. Gravity stung at his sinuses and his stomach lurched at the movement. Hands patted him down, digging into his pockets. He jerked at a sudden pressure against his crotch.

"Fucking hell, Lancaster. Don't be a freak," said Jackson.

The hands removed Eric's keys from his pocket. Eric heard the door unlock and was shoved roughly into his own apartment.

Jackson's lanky frame stood in the doorway. Halfway awake, Eric couldn't tell if it was disgust or pity on his face. Jackson tossed the keys onto Eric's chest.

"Go to bed."

"Thanks," said Eric.

"Go to hell."

"On it."

The door slammed shut. Eric crawled his way to the couch and closed his eyes until the spinning ceased.

There was something about the unmoving shapes of the walls and the still shadows cast upon them that felt artificial to Eric. It gave him the sense that he was looking at an illusion of a room, a flat surface angled cleverly to appear three-dimensional.

The moonlight made the room colder, sterilizing even the soft edges of scattered laundry and turning them geometric. He drew the curtains and bolted the front door. He hovered over the light switch before leaving it off.

He stripped in front of his full-length mirror. His shirt peeled off with a crackle, the fabric stiff with crusted blood. His pale skin seemed luminescent in the low light that still filtered in through the secondhand curtains. Dark trails of dried, flaking blood ran from his shoulder to his wrist. Wearing the scabbed skin like a flowing skirt, the eight-armed woman smiled at him from his collarbone. She reclined in the divot of his collarbone, two of her arms reaching delicately upwards to trace at his Adam's apple. The rest

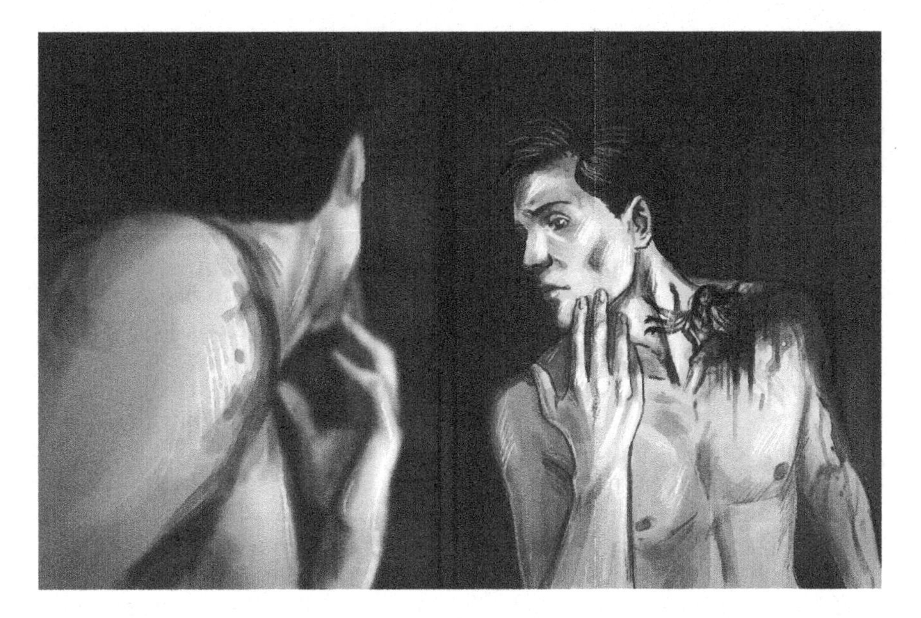

of her arms curled around her own body and twisted through her hair.

Eric took a long breath.

"Okay. You have my attention."

The woman's hair swayed as his muscles tensed.

"I said I'm listening."

Only the low whir of his ceiling fan answered. Eric squeezed his eyes shut.

"What do you want?" he asked the room. The artificial cold raised goosebumps on his skin. He let out a long, shuddering breath.

He felt two points of pressure on his collarbone, two fingertip-sized points of heat. He kept his eyes shut as the points raised and released, walking their way up his shoulder and to the back of his neck: slow, teasing.

A voice whispered in his ear, her tone low and playful. "I want you, Eric Lancaster."

Eric scrunched his eyes tighter and swallowed hard.

The small pressures walked up the back of his neck, tickling the scalp at the crown of his head. Eric felt small hands pulling lightly at his hair, eight traces of touch as the woman crawled her way up his skull.

"They don't deserve you, Eric."

The woman crept through his hair and took a seat above his forehead, dragging her heels in figure eights on the skin below. She reached down to stroke the furrow above his brow, rubbing the stress line flat.

"Don't you agree?" she asked, a smile in her voice.

Eric shuddered as she slid down his nose, finding her perch just above his mouth. He could not control his trembling. The cold air made his lips ache and crack.

She hung from the tip of his nose, her hands warm against his pained lips. He pressed them together despite the protest of pain from his body. The places where her palms rested were kind, providing tiny spots of respite to his dry, raw skin. He thought about the relief a single drag of his tongue would bring across his lips.

He felt her breath against his mouth.

"Eric," she purred. "Let me in."

His mouth shot open with a drowning man's gasp. She slipped between his lips, her body warm and perfect as she slid into his mouth. He could taste her. There was no taste of skin-salt or ink-metal, but a nectar-sugar sweetness with a nearly invisible knife's edge to the taste, like the acidic nip of citrus. He forgot the coldness in his body as she climbed down his tongue. He swallowed greedily as she crawled into his throat, the angles of her body catching and snagging on the slick muscle.

She was halfway down his throat and Eric was so close. He felt her stop suddenly. His eyes shot open at the abruptness, frustrated and desperate for her to keep going. He saw himself, pale and unmarked, staring bug-eyed in the mirror. His Adam's apple bobbed and caught. The woman refused to move from his throat. She dug into the walls of his esophagus with all eight arms, an immoveable force against the movement of muscle. Eric inhaled with a whistle to his nose and found his breath catch. He grabbed at his own throat, trying to massage the woman down, but she stuck firm. He began to gag in earnest, spittle forming at the side of his mouth. He shoved two fingers into his mouth, his jaw aching around his knuckles, as he tried futilely to vomit. His shaking knees gave out and he fell to the floor, his throat clenching violently. With a desperate "ack, ack, ack" sound, Eric's body scrabbled wildly for its breath as shadowed edges crept into his vision. Eric released his agonized throat and wrapped his arms around himself, a tight embrace around his failing lungs. He felt the strength of his own hands on his arms before that too faded and Eric Lancaster's vision went dark.

THREE POEMS

J. J. Steinfeld

A Bewildering Message of Desire

On a night of winds and regret
she appears before you
an ancient mythical smile
on a face of mysterious beauty
which myth you're not certain.

Where have I reappeared?
Would an ancient deity
even bother to embrace me?
she asks, her hands touching yours
a bewildering message of desire.

Still smiling, time dissolving,
she claims more identities than planets
can disappear and reappear
like a long, lingering kiss
that ends too soon for one
not quick enough for the other.

She aches for love
for undefined ardour
for intimacy with someone
who has memorized another's
life story of sadness, despair,
and delicate artifice.

Trembling, defying language
yet reimagining love
you devise a new identity.
absorb the winds
and banish regret.

On the Edge of the Surreal

Morning light imprisons you in waking
(at least that's the visceral metaphor you punch out)
and you stare into the nightmare of boredom
(an abundant morning for disastrous imagery)
curse your routine of begging for forgiveness
and a glimpse of something sanctified.

After a bitter coffee impersonating a genial poison
and, don't forget, a melodious creaking of bones
yours and the memory of brittle loveliness
then your implausible day begins.

How to describe the next few hours
of stumbling over language and sequence
(even harder to believe, believe me)
but here is the crux of the implausibility:
accidentally learning to somersault
accidentally discovering a secret passage
accidentally touching the fingertips of ambiguity
accidentally identifying an awe-inspiring ancientness
accidentally falling into a soothing melancholy
accidentally turning into someone's half-humorous vision
colours and sounds and the prospect of pain
a miscellany of sensation and imprecision
a muddle of mismatched biographical details
you made it, barely,
dreaming awake as a bureaucratic error.

What a day you've had
what a breathtaking day
tomorrow, you can only hope,
will be half as good and its goodness
doesn't leave you in worrisome disrepair
or in the grip of an unforgiving holiness.

Moral Wherewithal

Walking to a local internet café,
strong coffee and cyberspace enticing me,
out of nowhere, geographic or otherwise,
an unrehearsed Greek chorus
from an unproduced tragedy
shouts out the words *moral wherewithal* —
one, two, three more stentorian times —
then posing the baffling question:
Do you have the moral wherewithal?
I wonder why in the world
does a chorus, Greek or otherwise,
use such an unwieldy phrase
and I foolishly yet politely ask,
"Moral wherewithal for what?"

Do you have the moral wherewithal
to escape the gravitational pull
of memory?

Do you have the moral wherewithal
to flee from the imaginary horrors
turned real?

Do you have the moral wherewithal
to banish the playful magic
turned malevolent?

Language and meaning
scraped by the questions
and the words *moral wherewithal,*
I plunge into silence
and headshaking resolve.
The questioning resumes
as close to the absurd
as to the meaningful:

Do you have the moral wherewithal
to abandon your definitions
and revise your world view?

Do you have the moral wherewithal
to remove all your defences
and face the world unencumbered?

Do you have the moral wherewithal
to join us on stage
for a new tragedy?

I turn and run with abandon,
forgoing strong coffee and cyberspace,
looking for another sense of theatre,
different voices out of nowhere,
geographic or otherwise.

FOUR POEMS

Alan Elyshevitz

Dark Eyes (Continued)

Dark eyes repel the sun and its peculiar leanings.
For an instant, they lens the world upside down,
then disembark at the equator. When a massif rises
within them, they become a spontaneous zealot
and show disdain for beach bunnies from coast
to coast. Dark eyes practice the viola while thinking
of buses rather than skateboards. They visit a clinic
at dusk under an assumed name and name their future
children with imaginary vowels. Sometimes admired
for infamy, they feel obliged to transport cell phone
triggers. Dark eyes estimate this night's salvo
with uncanny prescience. I have asked them to make it
easier to read them. I have asked them to fasten
their wisdom with a magnet to a smooth, cool surface.

Objects Are Closer Than They Appear

Objects are closer. They appear and never disappear.
Some say it's mirrors, I say assembly plants.
Have you not seen the molds for thermoplastics?
The convoy of Maersk on the Pacific?

In the sleep-smeared dawn of ten-million almonds
locally grown, so many items spin on spindles,
giving visible form to air. My hometown enjoys
a confetti storm. Nobody sweeps overnight.

I am a steward of squat and slender things.
I still own music in a pile of saucers.
That swivel chair reminds me of dim office work.
I like to feel cozy. The kitchen island
is a restful vacation. Nothing makes me happier
than a handy contraption for potatoes and cheese.

Haircut

Tonight I dine on venison
prepared by a bullet
and a hypertensive chef

At the bar sits a woman
with a restaurant face
reflected in a spotless mirror

In direct sunlight
such a face resembles
a dietetic breakfast

She pulls her mojito
toward her
a preamble or reflex

The walls of my suite
though decorative
lack a certain agility

By now the woman
has recoiled into the novelty
of another man's room

The sheen of her lipstick
has subsided but not
her wanderlust

The night is a slow
lava flow and black
as lava when it cools

From the lower floors
the sounds of gambling
fibrillate

Why am I here
and not
say

in a barber's chair
doing something useful
or

more precisely
having something useful
done to me?

Akhmatova #5

Anna, I prefer to watch
Your uncommon belly, your
Nude white fingers, your
Pleasure as breathless as a sneeze.

Skinned alive, your zoo
Of desires bares a thousand
Fangs of novelty in the cage
Of my low-risk eyes.

I beg to bed you in a lewd bath
Of dreams, to fathom you until
Your image is fixed and imprinted
On my perfect need.

TWO POEMS

RC de Winter

last winter's apples

i don't know why i dreamed of apples
especially these apples
they were old
well on the way to withering

one of them colored in a way
positively weird
dystopian rainbow shades
staining its topmost curve

they sat on a shelf looking sullen
and why not?
they'd obviously been neglected
left to age forgotten
in some old and rotting barn

the dream shifted
and the apples were my breasts
sagging
still sullen at being left
to age forgotten

a man
(i don't know who he was
i never saw his face)
was lying underneath me as
tugging and pulling with clamped lips
he sucked my wrinkled nipples

they stretched
flaccid
far past beauty
even in the dream i writhed with shame
that these withered breasts
had been revealed

some say apples are temptation
but i doubt that man was tempted
i'm sure he got no pleasure from his
determined ministrations

i think he was demonstrating
expertly so i could not forget
my fall from beauty's grace

Daily Grind

Sunrise.
A new day.

No, not really.
Not a new day, just another.
No day is new to her.

She lies on her pallet,
eyes shuttered against atomic intrusion,
unwilling to move.

She knows it's a time loop,
a rerun of a tired script,
the same performance
of a neverending play.

She will see the same faces
(if she sees any at all),
read the same clichés
(from the usual suspects),
go through the same set of motions
(her life has become automated).

There will be no new music,
no incremental change,
no great surprise,
nothing but the mundane magic
she can perform in her sleep.

She forces herself
to begin the monotony waltz.
Eyes open, one leg swings over
and up she gets.

She heads for the shower,
(a fitting place for the washed-up player she is),
and there hangs her usual costume,
ready for the daily masquerade.

Looking at the limp clothing
she steps into the tub,
sighing as she pulls the curtain,
wishing to God she could
burn the cloak and the stockings,
wear comfortable shoes
and dress like the ordinary woman
she wishes she was.

SEVEN MICRO-POEMS

Margarita Serafimova

The Magnificent Man

Chiaroscuro of gray clouds and savannah,
and among the contrasts – black, your eyes
in the deep of the radiant.
The sky becomes you.

Why is everything solemn?
The windswept sea in glorious light –
a banner of the planet;
the radiant pines' fragrance deep in the heart.
It is blowing.
This is the morning after the past.

I was watching the hill, and in it, saw
something of the heavens.
A shadow of a seagull passed.

The consummate motion.
The human hand
letting go.

The future is walking slowly,
it is carrying the day.

The mountain and rays are dancing
in quantum speechlessness.
Watching is love making.

The Great Sea

Green, formidable, ready for death.
You love yourself,
          or with the waves you fall.

THREE POEMS

Mark Kessinger

The Muse of Mardi Gras

She was so relaxed.

Donning the park bench
like Penelope upon the divan.
Cowgirl boots crossed at the ankles,
seated side wise in a rodeo recline
that sparkles championship.

From the float they see her,
brim meeting grin, shades in place,
an iridescence of chosen colors
clashing in just the right pitch of festive.
So relaxed, they strain to throw strings of beads
overhand, to reach her, rewards
for someone not even asking

they adorn her, impromptu queen,
on a slat and wrought iron throne.

Borrowed Illumination

I am in the parking lot of a dying Sears
reading by borrowed
illumination.
I have two slim volumes
by a woman who took me
under the arm of her own muse

she never told me I would be this
half a century later
the one still alive

I have so many questions for her now.
Back then, we only talked about me.
She collected islands.

She had mastered the
skewed congruence
I could only recognize as fencing.

It was a fence of closets
only a longer life
could decode.

In that
we are still
together.

pancakes, weeping syrup

a man looks down
and to his right
a glass of water
cold enough to bead
but nothing else

another man studies his phone.
a waitress struggles towards her table
the manager buses broken dishes as back up.
some customer studies their bill.

Across from him sits his other.
The table is wide and nearly howls
with emptiness.
The food is slow.

The phone guy looks up
the waitress chants the drink menu
the manager stands, pulls down her shirt
some customer fumbles in their wallet

the water bead just sits there
too stubborn
to fall

THREE POEMS

Lenny DellaRocca

Cheri

I lusted after a girl with freckles and full lips.

Dizzy with the jazz of girls,
the color of her hair

lacerated my thighs
with red whips.

She hadn't seen my leopards
incoherently blazing

at the sound of her name,
my hand a fist of flowers

on the other side of town,
until one night stars in Virgo

recited a poem in her heart,
opened her green eyes.

In '67 she was all bliss and fire.

I still dream of her mouth.
So young and irresistibly

unapologetic.

Voyeurs

I felt anxious when Anastasia said she'd pose naked.

Henry and I had to stand on the porch though it was his house.
July was summer's tongue.

I wanted another coffee but had to wait.

Through the window Henry and I looked at his Frida Kahlo prints
lining the dining room walls, Daguerreotypes from 19th century France.

Anastasia came down the stairs in a red towel.
Clara stood in the parlor with the video camera on her shoulder.

Henry looked away, said he was going to quit smoking, as if it worked that way,
like something he'd put on his calendar—a night of wood cuts and engravings

at a local museum. He smiled. I think he smiled, it was dark.

Anastasia dropped the towel. She wasn't pretty—pale shoulders, a bent knee—
erotic in a strange way,

the way a mango's scent ruins a rose.
Clara wrapped her in cellophane, told her to roll
back and forth on the Persian rug while she pointed the lens,

the red light blinking.

Afterward, she let us inside while
Anastasia went up to dress. Clara served coffee and apple pie.

Henry pulled one of his eyebrows the way an actor might when trying to steal a scene.

I was staying the night. So was Anastasia.
After we read our awful poems, we left everything on the table and went up.

Anastasia said *I only like girls* as she slid beside me after taking off her bra. I
slept naked. *Click off the ceiling fan*, she said. And
so I stood on the bed pulling the

cord watching her watch me pull it the way a girl on a hot summer night watches a man
when he's alone.

Late for the Sky

I watch my wife's eyes the way a man watches a woman sleep
except this is breakfast
at McDonalds. We're talking about Westminster Abbey, the London Eye
until Jackson Browne's song
comes on and fills that part of my heart that is a hollow stump.

We'll have a picnic in Hyde Park, Marie says, watch blokes in a pub
have a row while drinking pints of dark ale.

One of them is 22 years old, his head in a cloud,
in love with an office girl
who curses a jammed copier, cuts his hand in the hot machine.

Blood on his sleeve.
My sleeve.

Marie's smile is all about the Tate, but all I do is nod.
I'm in my old apartment the day Susan brought her laundry.
Jackson Browne on the turn table.

I tell Marie that clear pod 433 feet above the Thames scares me half to death,
the half of me across from her

at McDonalds.

Ballad of Lola and Lotta

Thomas Piekarski

We drooled over Marilyn, fawned Bettie Page,
Were reeled in by Gloria Vanderbilt's glamor,
Adored Princess Diana who dodged paparazzi
And idealized Liz Taylor throughout her career.

Today in this age of digital transmission
It's easy to forget stars who lit the stage
During centuries past, the fabulous talents
Who entertained masses around the world.

Too numerous to name, but among them two
Talented women whose fame lives in memory
Of those who would engage Gold Rush lore,
One Lola Montez, the other Lotta Crabtree.

Their fates linked by what might seem chance,
That is unless you would concur that destiny
Plays a vital part in our future realities. Herein
The story of how those two became entwined.
During 1849 a collection of shabby ruffians
Lately mustered out from Zachary Taylor's
Army after proud victory in the Mexican War,
Sought a fresh challenge, headed to California.

Thousands of frenzied fortune seekers
Did likewise, expecting to strike it rich
In California's incredible Mother Lode.
When one of the soldiers stubbed his toe

On an 18-pound nugget they came to a halt,
Scouted the area, discovered streams, gulches,
Ditches and riverbeds flush with gold. Quickly
They set up tents and commenced to prospect,

Collecting nuggets and dust. Word got out,
A rowdy town sprung up almost overnight
And soon the population swelled to 3000.
Its founders named the new establishment

Rough and Ready after the fabled general,
Their champion Zachary Taylor. The miners
Blended well despite innumerable conflicts,
And prospered, that is until the government

Levied a monthly tax on everyone's claims.
The citizens, firm in common indignation,
Revolted, threw off the yoke of authority,
Thinking the tax absolute highway robbery.

They seceded from the Union, declared
Irrefutable sovereignty and independence.
The Great Republic of Rough and Ready
They called it, and refused to pay the tax.

But they floundered as a nation, soon tucked
Under the wing of the US government since
California had become a state. On this sunny
Afternoon I visit the old Rough and Ready.

Very little remains of the once bustling camp.
The gold all gone, town practically vanished.
I peer inside the preserved blacksmith shop,
Its opaque windows obscured by cobwebs,

Scan the interior and notice it's a museum
Where relics are protected. Upon a table
I see mounted what appears to be an anvil,
Perhaps once used to pound out horseshoes.

I suspect this is the legendary anvil that Lola
Placed six-year-old Lotta atop as she danced
For a group of miners who roared approval,
Whistled, clapped, and shuffled their boots,

Barely able to believe this angelic little cutie
Had come out of nowhere. Could it be heaven
Sent her? Numerous entertainers had visited
The town, but none delighted them like Lotta.

Thereby the mantle passed from Lola to Lotta,
From master to student as if the stars aligned
Perfectly that day. And to think it happened
In this remote mining camp is quite uncanny.

How a solid bond between Lola and Lotta
Came to fruition we must reset the clock.
Lotta's father faltering in business back east
Left it behind at the time news of gold broke

To far corners of the globe. He went west, left
His wife, Lotta and baby son, to be called upon
Once he was settled. Before long they followed,
Landing first in San Francisco, where the mother

Committed to the theater attended performances,
And in the process sized up its various aspects,
The musicians, actors, stages, promotion, every
Minute detail she could store in her fertile mind.

She knew her little Lotta possessed special talent,
Determined to learn how to make the most of it.
Though the father hadn't yet fulfilled ambitions,
He hailed the family to meet him in Grass Valley.

Grass Valley and nearly adjacent Nevada City
In those days thrived, with mile after deep mile
Of tunnels beneath them, millions in gold taken
From the streams, from mountains washed away,

And veins of quartz stored inside Mother Earth.
It was a hard life in a rough country that lacked
Comforts tenderfoot Easterners had been used to.
Good business woman, Mrs. Crabtree managed

A boarding house on Mill Street that still exists,
Impeccably restored and faithful to the original.
As I stand in front of it and look up at the deck
I can virtually see Lotta there practicing dances.

Despite the rugged, unruly society, in Lotta's day
At least a semblance of proper manners prevailed,
Fashionable women keeping up with current news.
Mother sent Lotta to Grass Valley's acting school

Where her precocious talents initially bloomed.
Mrs. Crabtree's dedication to Lotta would never
Slip one iota, their spirits fused, indestructible.
Even after death Lotta's mother issued strength.

Lola's emergence on the scene in Grass Valley
Took a roundabout course. Known worldwide
As Countess of Landsfeld, she'd already made
A place for herself in current European history.

Lola was born into a lap of luxury, the father
An officer in the British army, was stationed in
Exotic India. Exposed to style, wealth, privilege,
And stature, Lola's world approximated Eden.

This young girl who would command languages
In early years spoke fluent Hindustani. Spoiled
Little debutante, ears attuned to jungle sounds,
She grew accustomed to the lush ripe landscape

Of flowers, gorgeously plumaged exotic birds,
And various ritualistic dances of ancient India.
Lola's father died, but the eligible mother had
Little trouble replacing him, married a captain

Craigie, he of aristocratic Sottish heritage. Lola
Was difficult to control, openly hostile, argued
Incessantly, so used to attention and pampering.
Lola's indignant temperament would plague her

Endlessly throughout life. The time arrived
For an advanced education, so mother, amid
Considerable sobbing, boarded Lola on a ship
Bound for England and waved fare-thee-well.

She was sent to live with Craigie's parents at
An elegant castle way up in Scotland. Landing
In London opened her eyes to a new world, its
Old belfries and flagstone pavements wonderful.

Lola couldn't stand Scotland, its clammy climate
The opposite of balmy India. She quarreled often,
Rebelled against prayer and discipline, thereafter
Sent back to London in the care of one Sir Jasper.

In London Lola unfurled fully, her spirits uplifted
Sauntering amid the cafes and superb curio shops.
Subsequently Jasper sent Lola to finishing school
At Bath, in order to continue the polishing process.

In their youths Lola and Lotta couldn't have been
Any more opposite. Lotta grew up most modestly,
Lola surrounded by much privilege and opulence,
Fully exposed to European aristocratic traditions.

Although quite a bit different in upbringing
Both Lola and Lotta became stars of the stage
With great ability to please. They would gain
Large followings throughout brilliant careers.

Early on in London Lola learned all about empire
Building, developed important connections, friends
To supplement her classic looks, adopted swagger,
Became an equestrian, canoodled with several men,

And married a man named James. That marriage
Didn't last. James would prove a fickle lothario,
Eventually abandoning Lola. But she didn't brood,
Instead maintained firm commitment to the theater.

Lotta, an indisputable prodigy, lacked advantages
Lola had, lived on the fringe of poverty with no
Nobility. Young Lotta learned by osmosis, able to
Absorb and integrate traits of fellow performers.

In London Lola engaged a special dance instructor,
Went to Spain to gauge the atmosphere and style,
Learning native ballads. But her reputation soured.
Poisonous gossip leaked into certain social circles

Instrumental in genesis of a cacophony of scandal
That grew worse over the years and attained epic
Proportions. She was to suffer boos and hisses in
Cities where citizens rejected her bad disposition

And loose morals. For Lola had many lovers. Men
Often found her irresistible. Not Cleopatra, Salome,
Jayne Mansfield, or any other icon of womanhood
Ever surpassed the high magnetism of Lola Montez.

Born Eliza Gilbert, of Irish descent, Lola Montez
Only adopted that moniker upon deciding to make
A go of it in show business. Lola passed herself off
As Spanish, but she was much too pale, so that any

Person with sense could see through the charade.
By puberty she'd grown amply buxom, with hips
Like crescent moons, ivory white skin that glowed,
Lava-black hair flowing over those smooth shoulders.

Lola's aquamarine eyes glistened, hypnotized
Men who would, upon looking into them, swim
In oceans on far-off planets. It's no wonder some
Fell in love upon encountering this enchantress.

Lotta had nothing in common with Lola in terms
Of values, physical attributes, nor attitudes about
Family, environment, influences, or even lifestyle
In the early stages of development, solely focused

On craft. With mother as astute manager, Lotta
Got booked at tough mining sites like Volcano,
Hangtown, Sonora, Angels Camp, Big Oak Flat,
And an abundance others, constantly on the road.

Unlike Lotta's debut before a gaggle of unruly
Rough and Ready miners in some remote region
In the middle of gold country, Lola's took place
In London, amid a hubbub of advertised fanfare.

There was no need for social media or television.
The press had kept close tabs on her, expounding
On Lola's infamous love affairs, tantrums, flair.
The audience gratified, gave generous applause,

But critics were mixed. Some found Lola rather
Captivating, impressed by an evident buoyancy.
Although recognizing eloquence, others noted
She fell well short of the anticipated perfection.

Leaving London, Lola flitted like a butterfly across
The continent, held performances in Warsaw, Berlin,
St. Petersburg and Constantinople, Vienna, Prague,
Genoa and Paris, with monarchs at times attending.

Impulsive, ambitious, Lola proved a rare dynamo
Professionally. Yet she lacked self-denial required
To become an acknowledged ballerina. Lovers first,
Lola's urges to be satiated at the sacrifice of fine art.

By contrast, Lotta's dedication was total, wherever
She traveled avid to advance, learn new techniques.
And Lotta's versatility showed. It was unsurpassed
In that day and age by any peers, be man or woman.

At Dresden Lola met the great composer Franz Liszt.
Queens of Saxony and Prussia, as well as the Czarina
Paved the way for her, bestowed treasures and praise.
Although situated atop the music world, Liszt's fame

And genius captivating women all over the continent,
He fell for Lola head over heels. She stoked the fires
Of intellectual elitism, reading him Voltaire, Byron,
And Shakespeare. Rivalry for Liszt's affections ran

Rampant in the blood of Comtesee d'Agoult, author
George Sand, and Lola. When Sand escaped with him
To Paris for a holiday, Lola challenged her to a duel,
Using Fingernails as weapons. Driven mad by Lola's

Outrageous demands, Liszt finally had his fill. Fed up,
One day he had servants lock her in a closet, and then
Slipped away. Once released, Lola pounded the walls,
Smashed furniture, while wailing and denigrating him.

Lotta isn't known to have engaged lovers. She didn't
Wed, although there were potential suitors. Following
Performances she would typically leave with mother,
Dismissing intentions of men who'd otherwise pursue.

Lotta naturally encountered conflicts, but in the main
They were catty rivalries among competitive actresses.
Burlesque was widespread, a common tool of attack
In which they mocked each other with bold parodies.

It was a given that Lola would emigrate to Paris once
She'd come of age. Paris was the melting pot, capital,
Nexus for the most accomplished artists, intellectuals,
Nobility. Lola felt at ease among them, quickly fell in,

Admitted among savants from a multitude of fields.
The indomitable Dumas, author of *Three Musketeers*
and *Count of Monte Cristo*, took a special liking. He
Introduced Lola to his clique and she was welcomed.

Lola took additional ballet lessons so as to improve,
Fortuitously cast in the Paris Opera's *Il Lazzarone*.
It was generally accepted that she fell short, did not
Accede to Parisian high standards, but nevertheless

Showed admissible abandon, fire, smooth movement.
Whereupon she met a sharp, eligible newspaper man,
Confidant of Dumas named Dujarier. He was ardent,
Industrious, took Lola as a mistress. That relationship

Introduced her to a multitude of Paris' best minds.
Through him Lola got to know Balzac, Lamartine,
Rue Drouet, Lamena is, de Musset, a doughty club
Known as the Olympians. She swooned amid gods.

Those *nouveaux riches* hosted lavish suppers. Cafes
Provided locations for endless political discussions.
Lola strolled happily immersed in the lush Tuileries
Gardens, dapper Dujarier a wellspring of motivation.

Lotta's theatrical career commenced at a younger age.
By eight the little red-haired girl commanded the jig,
The reel, and several other steps. With brilliant eyes
And quick light feet, she lit the floor with authority.

Her diminutive size a plus, Lotta's unique penchant
Of laughing while she danced tickled the audiences.
A bubbling fountain of fun and fulfilled life, Lotta
Entertained on many a rustic stage in tough towns.

In the midst of smoke and shadows Lotta would dance
On almost any surface, atop a barrel, a table, even dirt.
When she'd come on to sing in fluffy white dress with
Puffed sleeves, the miners saw her as a true living doll.

Lotta impressed a director, Dr. Robinson, who proposed
Taking her talent to San Francisco. But mother Crabtree
Wouldn't have it. She chose instead a man named Taylor
Who led them on a comprehensive run of mining camps.

At Rabbit Creek they launched, switched from wagons
To mules as they tackled high mountain trails. Attached
To the mules red and blue tassels that fluttered merrily.
Lotta entertained in Gibsonville, Quincy, Rich Bar, Port

Wine, Seventy-Six, most now expunged from the map.
Lotta strapped to a mule, Mrs. Crabtree holding baby
Brother in a saddle, the beasts picked their way along
Steep inclines with one slip signaling potential death.

They played saloons, and village inns where the smell
Of smoked hams abounded, flannel shirts hung along
A clothesline, curtains of calico, and bunks built into
Side walls. Before she'd go onstage mother confided,

Told jokes and funny tales to uplift Lotta's disposition.
Down long valleys, across mountain passes and rivers
They journeyed, in the spring through dales filled with
Poppies and iris, practically giddy in that succulent air.

Decorum nearly unknown in those gold rush camps,
Americans up in arms, battling native Mexicanos.
Whippings, murders, and hangings not uncommon,
Lotta's troupe lived each day in immanent jeopardy.

The contrast to Paris of the day couldn't be starker.
There men of genius and women dignitaries flocked.
Baron Rothschild, Gautier, Marie Tagolini, brightest
Lights of an international galaxy accessible to Lola.

Yet this era in Lola's life would not be sustained.
It wound down once the flame Dujarier was felled
In a duel over some silly insult. But he was good to
Lola, leaving her shares in the Palais Royal Theater.

Thus amply funded, Lola next set sights on Bavaria
With the goal gaining favor of vaunted King Ludwig.
His passion for glamorous women well documented,
No less zeal for politics, as well as all of the fine arts.

Lola wasted no time engaging the King. She pushed
Past guards at the palace and stormed in on him busy
At his study. He was instantly thunderstruck. He had
Never countenanced such a magnificent woman. Lola

Then drew up silken skirt and began to dance for him.
His glance flitted over the wondrous damsel: big blue
Eyes, shiny black hair flowing over snowy shoulders,
Delicately chiseled features, and supple, plump breasts.

The King completely smitten, was glad to introduce
Lola around. Soon she debuted at the Royal Theater.
At the curtain call a full house showered tumultuous
Applause. She won their hearts over for the moment.

The King admitted Lola into his executive brood
Of confidants and courtiers. Everyone well aware
She was his uncrowned Queen. Bavarians agreed
To accept this at the outset, but eventually turned.

Ludwig provided Lola a private mansion where she
Held the city's most plush salon. Ludwig's rampant
Love for Lola overflowed, ironic, quite the mystery
Since she'd later be blamed for his monarchy's fall.

At beginning stages of her career Lotta continued
From one town to the next, the hardships endured
Considerable. Lotta tasked with having to support
The whole family, carried on or they went hungry.

Once Lotta had run the gambit of gold rush camps
Many times, gravitating to San Francisco became
All but inevitable. That boisterous boomtown just
What she needed for her natural talents to evolve.

The city in perpetual state of rapid expansion with
Theaters, uproarious bars, cabarets, solo musicians
Strolling in the streets. Ballets were often staged,
Operatic extravaganzas, comedy shows, burlesque.

Lotta arrived in San Francisco a polished variety
Favorite whose light humor pleased the crowds.
With ease, spirit, and finesse she would perform
Popular Yankee scores, pantomimes, Irish tunes.

Lotta's voice developed into a flexible soprano
And at times embraced the mezzo range, heard
At the far reaches of any hall with utmost clarity,
Each syllable distinctive and indisputably crisp.

Theater mogul Maguire welcomed Lotta into his
Upscale Opera House, awarding a fine piano as
A token of high esteem. *La Petite Lotta* she was
Affectionately dubbed, also California Diamond.

In Munich Lola was snubbed as much as fawned.
The King and others believed they saw an aura,
But Metternich, several courtiers, and press upset,
Branded Lola a sorceress embracing black magic.

Criticism of the King spread throughout Europe.
When he went to have Lola naturalized it incited
Vituperation and open protest. And yet Ludwig
Granted citizenship, annuities, titles, properties.

Rewarding "artistic services rendered the crown"
She was titled Baroness of Rosenthal as well as
Countess of Landsfeld. Lola's own coat of arms
Boasted lion, gilt sword, silver dolphin, red rose.

She reigned de facto Queen, dispensed invitations,
Bestowed favors. Ludwig would hear no ill of her.
Even enemies acknowledged Lola's strong allure,
And zealots hailed her as indomitable Joan of Arc.

Lola's intimate familiarity with political figures
In various countries, and the trouble she stirred up,
Provided a bullseye for scapegoating indignation.
Agnostic, she made steadfast enemies with Jesuits.

When a reform storm swept across all of Europe
Lola was tossed into the muddle. Polish Catholics,
French Legitimists, Swiss Confederation spreading
Vicious propaganda to achieve their deviant ends.

Bavaria a centermost hotbed for revolution. Radical
Elements united in condemnation of King Ludwig.
Lola and he holding out, ignored them. But once
She convinced him to close the university, a revolt

Ensued, and riots erupted in the streets. The King's
Life was threatened, also Lola's. Mansion assaulted,
Lola faced the protesters with bravado, but students
Jeered, threw stones, chanted "be gone concubine!"

Ultimately the King forced to abdicate. This sent
Lola into what you would call a funk. Stripped of
All pomp and power, with life threatened she fled
Over the border to Switzerland and eventual safety.

Life not always charmed for Lotta either. Early times
In San Francisco often proved lean, and with mother
Giving additional birth came consequences. Another
Mouth to feed, little Lotta toted quite a heavy burden.

Competition was stiff. The market loaded with young
Talent. Mrs. Crabtree always had to claw and scratch
To keep Lotta booked in available venues. There were
Times when they resorted to the wharf, that abounded

With activity. Sometimes hundreds of ships crammed
The bayfront, boarding passengers or unloading cargo.
Comedians, mimes, wandering minstrels, jugglers all
As they still do set up shop, collected donations from

Appreciative impromptu audiences, swarms of people
Passing by. Lotta would dance away for hours on end,
Do short skits, sing ballads, any means to collect coins.
This could be grueling but she never minded it one bit.

Lola landed in Switzerland like a bird wafted down
Into a cozy nest. Ludwig abdicated unharmed, sent
To pasture in a nice country estate where he ambled
Through an orange grove pining for lost love Lola.

Ludwig's son Maximillian crowned King, proved
Most generous. By his grace Ludwig was able to stake
Lola a nearly limitless stipend. With such license
She went on frequent, unbridled spending sprees.

Meanwhile the mood in Europe continued as volatile.
Louis Philippe had been overthrown, radical elements
Sprouting everywhere, an age of scorn born. And Lola
An ideal target for blame, religious persecution, rage.

Hereditary government challenged by industrial forces
All across Europe. People rose in opposition to nobility.
Development of factories and railways surely advanced
Changes in social patterns that fomented conflagration.

Lola front and center, focus of attention for the press
That hounded her as much as do dedicated paparazzi.
When she abandoned Munich they found letters sent
By identified revolutionaries among her belongings.

Despite posh accommodations, Lola couldn't be hidden
From a public dying for news of her activities. One wag
Named Papon, on attack, obsessed with upending Lola,
Published a book available in English, French, German,

That ridiculed, accused, vilified, pegged Lola as a witch.
It claimed the Countess slinked from one foul escapade
To the next, wasted the kingdom's finances capriciously.
Lola countered that Papon was nothing but a fool hack,

Wrote and published a book in self-defense exonerating
The King, cited the fact that monarchs have always been
Able to coddle mistresses. But emotionally drained, Lola
Skipped to England hoping to obtain some elusive peace.

At a similar stage in her career Lotta faced no such travail.
Crowds were lifted to heady enthusiasm as she performed
Flings, polkas, breakdown, and a range of exquisite dances.
During years of stomping through mine camps and playing

To small audiences in San Francisco, Lotta had picked up
Just about every step designed to invoke a sudden cheer.
She could be as light as gossamer at will. Lotta portrayed
Topsy the raffish Irish boy, Yankee sailor, strictly British

Or blackface with equal skill. She learned to play banjo,
And with deep bell-like thrumming could head an entire
Blackface company, would lead the chorus, such ballads
As "Ole Bull and Old Dan Tucker" exciting Californians.

With only so many theaters and a glut of actors, troupes
Always keen for venues included the silver country once
The strike hit and Virginia City reminded one of Avalon,
Tucked in a valley amid mountains of the Washoe range.

Piutes were known to attack up in the high Sierra, and yet
This didn't deter them. Hardy, they scaled the Yuba Gap
With loaded pack trains. Those crude and crowded towns
Hazardous — homes blown over by a Virginia City zephyr,

Rains sending avalanches of timber and sand cascading
Down mountainsides and through the streets. Tunneling
Tore through the mountains at a feverish pace. Gambling
On a scale greater than the nation had ever known. Lotta

Bore those discomforts along with loyal associates
Like LaFont, who specialized blowing his trombone
With rare relish, accordion ace Keene, and momma
Crabtree who gladly pitched in with tinkling triangle.

In London Lola set up a salon. Virtually every move
She made closely followed by sniffing scribes. Fans,
Snuff boxes, and mugs portraying her image marketed,
And Lola Montez black catapulted to nouveau fashion.

She spent much time at the desk writing long letters,
Rehearsed a play about those days in Bavaria, which
Would prove a staple of her retinue. A young officer,
Lieutenant Heald, early on stricken by Lola's accent,

Before long engaged her in an intimate relationship.
Unable to deny his throbbing heart, Heald proposed
To Lola, and they were subsequently wed, irrespective
Of the fact she'd lately cost a doting man his kingdom.

That marriage resulted in a bigamy charge, as it was
Alleged she'd never obtained a divorce from former
Husband James. Lack of evidence helped her, and yet
Hounded incessantly, she and Heald sailed for France.

Confident of Lotta's remarkable talent, Mrs. Crabtree
Felt it time to expand horizons. To New York they'd
Go, where a new career would begin. Lotta was billed
As the California Favorite, joined a company offering

A variety program that featured banjo solos, dances,
Popular songs, and funny farces. Lotta played but few
Nights in New York, began touring Midwestern cities.
From variety she gradually grew into performing plays.

Over the same circuit they went again and again, from
Pittsburgh to Cincinnati, Buffalo, Philadelphia, then
Throughout the South. An arduous itinerary, and Lotta
Often tasked to cram lines while commuting on trains.

Lotta would galavant and romp across the stage
Serious or frivolous. Forever striving, she even
Added hand organ. Writing a friend, Lotta said
"Some places I've created a theatrical furor."

And indeed she had. Frugal Mrs. Crabtree, always quick
To capitalize on any sound business proposition, invested
Wisely in real estate, remained tightfisted, and accumulated
Funds for Lotta's future, meanwhile supporting the family.

Lola and new husband Heald, literally fugitives from the law.
That hot couple traveled together to France, Italy, and Spain,
Heald crazily infatuated with Lola. But frequent violent public
Quarrels a sure sign that the dam would break sometime soon.

Lola always worried of being extradited on a bigamy charge.
Heald tolerated the constant harassment, knowing it the price
To pay for his close collaboration with an enigmatic superstar.
Heald, heir to a family fortune, able to stake Lola according to

Her outlandish whimsies. He would bedeck Lola with jewels
That wouldn't compare with those she obtained from Ludwig.
At the time when bad news of Lola's bigamy defense arrived
Enraged Heald stormed from Barcelona and left her all alone.

They shortly reconciled. She forgave him. Heald's lust for Lola
An addiction. In between storms of tears they shared interludes
Of animal passion. Lola, a drug Heald simply couldn't give up.
They were seen at horse races, gambling casinos, haute parties.

Wary of the bigamy charge, they nonetheless squirreled away
To Paris. Heavily veiled, Lola sat in an upper box at the Opera
And watched the ballet *La Filleeule des Fees*, not even people
In attendance like Victor Hugo and George Sand taking notice.

But the walls were to come tumbling down. Constant pressure
Of being a fugitive and locked in an illegal marriage, family
Rebuke, to say nothing of a pestilent press too much for Heald.
He took to excessive drink, became cross and utterly irrational.

The confrontation that caused Heald's final exodus occurred
One placid morning while the couple enjoyed a nice breakfast
At a rented chateau in France. The landlord had sent a servant
To fetch a few bottles of wine from the cellar. Incensed, Lola

Reprimanded the woman for disrupting them, thrashed away
With a whip, flew into one of her patented tantrums, as Heald
Lost his wits, mind scattered. He fled, never again to lay eyes
On Lola, and soon had their most infamous marriage annulled.

Lotta broke traditions, in fact couldn't help it. She improvised
Like none other. Something of the tempestuous liberated mood
That prevailed after the Civil War responded to her lawlessness
And incomparable gaiety. Abiding a plethora of acclaim, Lotta

Often dashed back and forth between Boston and New York.
In Philadelphia at the Arch Street Theatre she created quite a
Stir the time she stopped an orchestra cold when they'd lost it.
Composers dedicated fine polkas, waltzes, mazurkas to Lotta.

In one new play, *The Little Detective*, Lotta interspersed six
Characters. She smoked onstage, kidded, took parts as a boy,
Alternately an old nurse with quavering gestures, followed by
Masquerade, which admirably suited her wit and nimble body.

Lotta returned to California in 1869, that empire of the West
Then linked to the East by railroads. They were days of rich
Bonanzas in the Washoes, elaborate theaters, educated sense,
Elegant horse drawn carriages, diamond brooches, fancy hats.

Lotta rollicked through a production of *Firefly* during which
She showed reckless abandonment of existing laws of taste.
As if cannons' loud crackling booms were not enough, Lotta
Mesmerized the audience with her mind-expanding concepts.

San Francisco proved lively as ever. Acrobatic theatrics then
The rage. Lotta danced more audaciously than she had before.
In a part as Marchioness she paraded playing a snare drum
While the acting demonstrated her command of melodrama.

Despite no lack of potential lovers, Lola nevertheless rebuffed
By rejection of another husband. Left to her lone resources she
Had to develop a plan. One thing that would remain plausible,
To perform for a living was decided. She brushed up on ballet

At a prominent dancing school, prepared to again go on tour.
Unfortunately a catastrophic influenza struck. Lola gravely ill
Tasted death. From this she never fully recovered. Lola's eyes
A bit sunken, hair and weight lost, she applied more makeup.

Once back on her feet, Lola continued to attract journalists
And visiting Americans from whom she learned of its great
Potential, expansive entertainment market. Lola concluded
She needed a makeover, and no place better than America.

So she made the decision to go ahead and organize a tour.
Lola appealed directly to P.T. Barnum, but their letters bore
Much rancor. Barnum couldn't be bothered, about to embark
On a whirlwind tour with the mercurial songbird Jenny Lind.

Arrangements finalized, Lola steamed for New York, hoping
To net acceptance as a dancer and legitimate political activist.
But the bad publicity hounds howled. She wound up branded
Succes de scandale in New York, Boston, and southern states.

Lola couldn't escape her lot as dazzling beauty bound by
Passion, violence, and uproar, the artistry only a low dam
Attempting to hold back a constant flood of ripe scandals.
Her quarrelsomeness came across as alien to Americans,

Yet journalists commented on a curvaceous exterior, the
Alluring eyes, immaculate black hair, ivory complexion.
Appearing only in latest dress, with sinuous movements
Lola's penchant for seduction evident wherever she'd go.

Despite Lola's obvious charisma, the American editors
Took shots. Ridiculous political cartoons depicting she
And Ludwig had shipped over the Atlantic, a selection
Of mezzotints and lithographs lampooning them for sale.

Lola's premiere on Broadway sold out, theater packed
From pit to ceiling. Lola's dancing mediocre, somewhat
Out of synch. Backstage she blamed the entire orchestra,
Instructed it to henceforth obtain the tempo from her toes.

At Washington Lola received a warm welcome, admitting
Some 75 visitors a day, and held court much as in the past.
She would appear in red satin gown and smashing bonnet,
At main events, or strolling along outside the White House.

On to Boston, back to New York, Saint Louis, and finally
New Orleans, Lola performed for overflowing audiences,
Her imperial eloquence on display. The patrons satisfied
Overall, she only on occasion compelled to endure distain.

Lola had eyes set on burgeoning California. The distant
West always foremost in her plans of eventual conquest.
Playing San Francisco tricky. Audiences unpredictable,
An eclectic hodgepodge. Some cheered. Some snubbed,

And yet she entertained unencumbered with fluent esprit.
The play written about trials and tribulations with Ludwig
Lola's main draw. By and by she met a gent named Hull
Whose entertaining stories and liberal politics invigorated.

So she married him, legally since James had met his maker.
He satisfied physical wants, handled agents, advertisement.
From San Francisco they hit the road. Lola first performed
In Sacramento, then Marysville on the way to Grass Valley.

When Lola and Hull's coach pulled up at Grass Valley
She was well known, her infamy no secret. The couple's
Arrival stoked the furnaces of gossip, deflected attention
From grinding labor spent by miners in miserable tunnels.

Lola purchased a home a block down from the main town,
Exhausted a small fortune remodeling it into a showcase.
By dint of serendipity or maybe just luck, the house stood
But a two-minute stroll from where lived pretty little Lotta.

As I stand in the front yard of that historic home, I observe
It's now a school for holistic enlightenment. My mind reels
Back to halcyon days when Lola's animals roamed the yard,
A peacock strutted, and she fraternized, entertained, illumed.

Grass Valley lay in the sunny Sierra foothills, with crystal
Clear streams, blaze of wildflowers, tall pines that scented
Fresh air and towered into the sky. It was then gold capital
Of the world, and held California's most productive mines.

The rush for gold tendered an incredible mix—cultivated,
Knowledgeable, and idealistic some, others strictly uncouth.
Harvard graduates, ministers, poets, also Chinese laborers,
Highwaymen, Mexicans with Indians all jumbled together.

Lola enjoyed the babble of blabbing tongues. This is what
She sought, to relax, grasp a fresh toehold. Minus the stress
Lola settled in. Although several snooty fussbudget matrons
Called her names like trollop and Jezebel, she just shrugged.

Lola not overtly invested in performing, but she knew
Desire to see her fabulous Spider Dance prevailed. So
She did a show in Nevada City, another at the National
Theater in Downieville, at times coaxed to other towns.

The miners went bananas when she spun, skirt flowing,
Pranced back and forth across the stage, incited, tossing
Fake spiders, then stomped on them as if extinguishing
A fire. Fans flung gold nuggets, watches, and bouquets.

Lola gave an extravagant party at Christmas, playing
Carols on melodeon. She sang liberally, emboldened
By champagne. Her gown sleek scarlet velvet. Rubies
Glittered against immaculate skin, eyes lit like lamps.

Lola's home a cultural focal point. At any time a Russian,
German or Polish Count could appear. Latest books from
Paris and London on hand, with cards and chess available.
Violins, accordions, song, and dance often led the agenda.

Children typically passed Lola's home en route to school.
Upon their return she would sometimes invite them inside.
She encouraged the kids to demonstrate any artistic talents.
Of all these minors Lotta stood out. None others possessed

Such adept timing, nearly so nimble, nor taken to song so
Naturally as the diminutive Lotta with incendiary red hair.
Lola treated Lotta like a daughter. She'd never before seen
Such precociousness in a youngster anyplace in the world.

Mrs. Crabtree sheltered Lotta, was in the main unwilling
To let her stray far from the house very much, yet made
An exception, allowed Lola to tutor the child. They spent
Days together, during which Lola taught beginning ballet,

Fandangos, highland flings, and how to sing many ballads.
From Lola, Lotta learned to ride horseback as they dashed
Through the woods, laughing and kibitzing. Lotta thrived
Under Lola's wing. Her malleable mind had met its match.

By the time Lola brought her *protégé* to Rough and Ready
Where she danced atop that proverbial anvil, petite Lotta
Had already become quite polished. In fact Lola declared
The girl by then accomplished enough to make it in Paris.

Lola's relationship with Hull festered. He drank heavily,
Grew gaunt. Severe asthmatic, he suffered inconsolably
As dust kicked up from churning ore crushers irritated
His lungs, which made him sick, in effect incapacitated.

Lola nursed Hull back, but then dumped, divorced him.
Afterwards she entered a strange phase, penning letters
To men who wrote books on mysticism, studied them,
Bought into a lot of it, began practicing transcendence.

Lola would take rides out into the pristine pine forest,
Sit by a brook, read and meditate. She'd connect with
Inner spirits that haunted, flaunted doubt, forced Lola
To admit grim realities. As Dumas commented during

The early days in Paris, she was anathema to any male
Who got involved with her. The majority of Lola's men
Followed a loathsome trail of tears that clung like dark
Shadows, spelling demise to all but a few such as Liszt.

Lola adopted a dual identity. Maintaining appearances
As Countess of Landsfeld, matron of the local art scene,
She also let herself go, spent hours planting an elaborate
Garden, which she tended often, in her element amidst

Chained bear, tropical birds, favorite dog. Mother Earth
Gave her soul consolation, as she toiled in the dirt, pious,
Contained in self-reflection. Nevertheless, the show must
Go on. So in due course Lola booked an Australian tour.

The time with Lotta was paying off. She'd progressed
Admirably, prepared to enlist some established troupe.
Lola wanted badly to take Lotta with her to Australia
But mother Crabtree said no. She'd already arranged

To go out on tour through the camps with a solid group
She sanctioned. Mother blanched at the thought of Lotta
Dashing off to some unknown foreign land in care of one
So promiscuous, not to mention Lola's tainted reputation.

So they went their own ways. Lola stormed the Australian
Continent with usual gusto. Meanwhile Lotta was creating
A name amongst the miners, to them no less than radiant,
Adorable pixie who tantalized their captive imaginations.

After Australia Lola returned to the US east coast, bowed
Out from the theater, wrote memoirs, and published articles.
She made a go of it giving lectures for a spell. But shame
Gnawed away. Lola became a recluse, selling those jewels

And expensive possessions she had left in order to maintain
A semblance of liquidity. Lola passed away alone at age 39,
Physically spent, repentant, and deep in deliberation, one of
The most ravishing and controversial women who ever lived.

Lotta went on to unabated stardom. Although she didn't wish
To compete with Shakespearean actors, remained in demand
From promoters all across America. She performed constantly,
Crossing the country north to south, east to west. Lotta among

The handful of luminaries able to sell out in almost every city.
She was dearly loved, didn't make enemies, although she had
Rivals that constantly nipped her heels. No one in the business
Was more richly appreciated than the inimitable Lotta Crabtree.

Lotta retired at age 45, career cut short due to a bad accident
When she fell onstage and severely damaged a hip. Mother
Passed away, whose thrift and business sense definitely paid.
Quite wealthy, Lotta lived in a New Jersey mansion, pursued

Philanthropic endeavors, lived out the remainder of 76 years
In enviable harmony without appreciable regrets, just special
Memories, years eclipsing people's fears, bringing joy, cheer
Into their lives by means of her fantastic voice and quick feet.

Proclivity for skills occurs in the biochemical transfer of genes
From one generation to the next. Other times geniuses connect
By chance encounter, usually at some nexus of art and industry
Where teachers will pass on their secrets to precocious students.

But Grass Valley has to be the last place on Earth you'd expect
Two legendary women to meet in the web of Fate. They remain,
Still communicating in a symbiotic relationship as binary stars
Circling one another somewhere out in that wild, open cosmos.

Молчаливый дом

Таннер Кременс

Одиночество поглотило маленький домик в Сульфур Спрингс. Жизнь проходила мимо седьмого дома по левой стороне Черри Лэйн, не имея ни малейшего представления о затхлости, повсеместно разраставшейся за выцветшей белой дверью. Одиночество прокралось по коридору в спальню. Пожилой мужчина сидел в кресле-качалке и смотрел в окно на звёзды. Он присмотрелся к самой яркой: интересно, это Венера? А может, Юпитер? Это была не Венера и даже не Юпитер, и старик знал это, когда был моложе. Звёзды мерцали и, казалось, пели песни на радость мужчине. Он впитывал их поэзию и красоту еженощно. Это было не столько увлечением, сколько привычкой — как муж целует жену перед тем, как они разойдутся по своим делам. Старику нравилось думать, что по утрам звёзды спускаются на Землю, зарываются в почву, под камни и ждут. А когда наступает вечер, они выбираются на поверхность. К ночи они поднимаются на небо и становятся на свои места.

Старик всегда спал столько, сколько было нужно для отдыха. Иногда он просыпался довольно рано, но чаще к полудню, а временами и под самый вечер. Когда он ещё работал гробовщиком, приходилось ни свет ни заря идти в похоронное бюро. Его часто спрашивали, нет ли у него проблем с аппетитом, учитывая постоянный контакт с покойниками. Но, по правде говоря, это его никогда не тревожило. В работе его огорчило лишь одно: пришлось продать похоронное бюро, потому что, по всей видимости, слишком мало людей умирали. Теперь ему бы ни за что не удалось жить по расписанию, но он и не пытался. Он мог придерживаться своего собственного распорядка, поэтому не спал всю ночь до первых крапинок света в небе. Его жена молча лежала в постели, а он сидел в своём кресле. В спальне всегда было тихо, и он мог бодрствовать сколько душе угодно.

Она просыпалась вместе с ним и не желала ему доброго утра, не целовала его, даже не глядела в его сторону, но всё равно просыпалась вместе с ним. Джордж стащил Лоис с кровати в инвалидное кресло, и они скрылись в ванной. Выдав Лоис ежедневную порцию лекарства (Джордж предпочитал называть это её «лекарством», хотя оно было лишено свойств, необходимых, чтобы именоваться таковым), он выкатил её в гостиную. Джордж развернул инвалидное кресло к экрану телевизора и, как всегда, заблокировал колёса. Он достал банку имбирного эля из кладовой и поставил её в холодильник.

— Хочешь вафель?

Женщина не ответила, уставившись в телевизор. Они всегда смотрели шестой канал. Как правило, утренние новости были давно в прошлом к тому моменту, как Джордж выкатывал Лоис в гостиную. Иногда по телевизору шло судебное реалити-шоу, а чаще — низкосортные мелодрамы.

— Может, кофе или чего-нибудь такого? — спросил старик, зная, что она не ответит.

В ответ раздался лишь плачь бездарной актрисы, расстроенной поступком своего парня, которого играл ещё более бездарный актёр.

Старик прошёл из кухни в другую спальню, размышляя о том, каким был их брак много лет назад. В молодости они делали много всего: звучали слова, строились планы, и старик думал о них, разглядывая струнные инструменты, висевшие на стене — в основном, гитары. Они были закреплены на симпатичных кронштейнах. Лоис как-то сказала мужу, что инструменты слишком красивые, чтобы прятать их по футлярам. «Она гордилась ими, она гордилась мной», — думал старик. Не эти ли крючки были её последним подарком ему? Нет, наверняка были и другие подарки, позже. Самые последние часто повторялись. Поступал ли он с ней плохо? Да, он скучал по ней. Он знал, что скучает по ней, но при этом чувствовал облегчение. В конце концов, он ждал этого момента. Он думал о всех возможностях, строил планы, когда по ночам не спалось, и вот время почти настало. Он подсчитал, сколько денег ему понадобится. Осталось получить ещё один чек с пенсией, и Джордж исчезнет.

Он сидел на краю кровати в гостевой комнате и вспоминал, как их сын спал здесь, когда навещал их. С тех пор прошло много лет, и старик задумался о том, где их сын сейчас и чем занимается.

Он стал на четвереньки и запустил руку под кровать. Достав один из фотоальбомов, Джордж сдул с него пыль и сел обратно на кровать. Он уже давно не делал снимков и скучал по той радости, которую это когда-то приносило. И всё же, на его новое хобби уходило много времени и сил. На последнем фото в альбоме Джордж сидел на бревне, импровизируя добро. Лоис стояла рядом и пела. В памяти отозвалось, как она исполняет «Blue Moon of Kentucky» — песню, написанную Биллом Монро и его группой *Blue Grass Boys*. Её голос сладко раздался в ушах Джорджа. Он закрыл глаза и притворился, что слышит её мягкую гнусавость — вот бы Лоис всё ещё могла петь! На фотографиях она выглядела совсем иначе, чем сейчас, сидя в своём инвалидном кресле в гостиной. У старика по-прежнему росли усы и аккуратная седая шевелюра, но лицо Лоис покрылось морщинами, которых не было на фото, и Джордж никак не мог оторвать от него взгляда. У неё совсем не осталось былой осанки, и Джордж задумался об этом. Кажется, он даже пустил слезу, но тут тостер выплюнул вафли, так что пришлось вернуться на кухню.

Джордж намазал обе вафли арахисовым маслом и склеил их вместе. Раньше он ел их со сливочным маслом и сиропом, но он уже давно не выходил из дома и в ближайшее время не планировал. Вместо привычного магазинчика на углу открыли сетевой супермаркет, работники которого вроде и говорили с Джорджем, но не очень искренне, совершенно не интересуясь его жизнью, в отличие от продавцов предыдущего магазина. Интересно, куда они перебрались работать после его закрытия?

Джордж положил вафли на тарелку и помыл яблоко в раковине. Оно было мягким, но Джорджу было всё равно. Он достал имбирный эль из холодильника — он ещё не успел толком охладиться, но пить его всё равно было приятно. Джордж поставил тарелку с вафлями на колени жены и съел яблоко. Он знал, что вафли в итоге тоже придётся есть ему.

Однажды они обсуждали переезд во Флориду. Ну, скорее, старик это обсуждал. Элвин и Селла переехали, и, видимо, им понравилось на новом месте, потому что Джордж уже и не помнил, когда они в последний раз выходили на связь.

— Мне незачем уезжать из этого дома, — ответила старуха мужу. — Мне уютно в холоде. Для меня он не проблема, в отличие от других.

Джорджу нечего было делать в Мичигане. Работы у него не было, а на юге наверняка звёзды сияли ярче. Тогда, много лет назад, он не стал ругаться с женой, а теперь в этом и вовсе не было нужды. Скоро у него будет достаточно денег, чтобы прожить оставшиеся годы на солнечном побережье. А вот Лоис придётся остаться.

Доев яблоко, он сходил ещё за одной банкой имбирного эля в кладовую и поставил её в холодильник. Затем сел, дожидаясь, пока он охладится.

***

Настал вечер, показалась луна.

— Ты видишь луну? — спросил он жену. — Мне нравится делать фото луны, нетерпеливо выползающей на небосвод ещё до того, как солнце уйдёт на покой.

Он улыбнулся женщине, сидящей в кресле.

— Вот бы у меня всё ещё был мой фотоаппарат, дорогая!

Но Джордж знал, что, если он сходит за ним в спальню, новые фото на нём всё равно не сохранятся. В отличие от Лоис, он не знал, как их распечатывать, так что в фотоаппарате не осталось свободной памяти. Он, скорее, купил бы новый, чем разбираться с тем, как печатать снимки или тем более сохранять их на компьютере.

Проявились звёзды, и старик ощутил своё еженощное блаженство. Он подумал о том, что это первая осень в его жизни, когда он наслаждается звёздами. Что же случится, когда наступит зима? Мичиганские зимы никогда не нагоняли тоску на Лоис, но нынче лишь звёзды наполняли Джорджа любовью, и он знал, что его жизнь опустеет, когда небо станут затягивать тучи.

В дверь постучали. Лоис не пошевелилась, и старик решил дождаться, пока постучат снова, чтобы убедиться в существовании визитёра. Со стороны двери снова раздалась лёгкая дробь, и Джордж пошёл её открывать.

— Мистер Брэммер? — спросил молодой парень у полураздетого старика.

— Да. Всё в порядке? — ответил Джордж.

— Да, всё хорошо, только в ваш почтовый ящик больше ничего не помещается.

Парень держал в руках стопку писем и бумаг, которые дожидались своего часа уже с месяц, если не больше.

— Просто хотел убедиться, что у вас всё нормально.

— Надо же! Спасибо, дружище.

Джордж протянул руку за своей корреспонденцией, подумав, что довольно странным было разносить почту в столь поздний час. Он попытался захлопнуть дверь, но почтальон поинтересовался, почему старик так давно не проверял свой почтовый ящик. Он предложил приносить почту прямо к двери, но Джордж заверил его, что всё в порядке, и отныне он постарается почаще заглядывать в почтовый ящик.

Дело в том, что чеки с пенсией обычно присылали четвёртого числа, а сейчас было лишь второе. Следовательно, проверять почтовый ящик чаще, чем раз в месяц, не было смысла. Старик отнёс стопку писем на кухню. Сверху лежал счёт за медицинские услуги, адресованный Лоис, так что Джордж выкинул его, не распечатывая. А вот и они, на два дня раньше срока, их с Лоис пенсионные чеки в хрустящих конвертах — свидетельство того, что Джордж отправится во Флориду ещё раньше, чем рассчитывал. Он нервничал тогда, пару месяцев назад, впервые открывая чек Лоис, но сегодня был уже третий конверт с пенсией, который он открывал без неё, так что Джордж успел привыкнуть делать это, а затем вносить деньги на свой счёт. Деньги с прошлого чека пошли на новенький телевизор компании VIZIO, висевший на стене. Он представил телевизор, висящий на другой стене, рядом с окном, в которое всё время светит солнце. Он достал банку имбирного эля из морозилки — он наконец-то охладился.

Банка арахисового масла стояла пустая. Хлеба осталось ещё на пару бутербродов, но на каждом кусочке виднелась плесень, отбивая аппетит. «*Надо собраться и сходить всё-таки в магазин*», — подумал Джордж.

— Лоис! — крикнул старик, повернувшись лицом к гостиной.

Она не ответила, как обычно, так что Джордж прошёл в гостиную, придвинул её ближе к дивану и сел. Он взял её за руку и спросил, как она себя чувствует. По телевизору шли вечерние новости. Джордж и

Лоис вместе сидели перед экраном, пока репортёр рассказывал, что плохого произошло за последние сутки. Лицо Лоис выглядело бесстрастно, и Джорджу было совершенно всё равно, но он не стал переключать канал.

Вышла луна, и вечернее солнце перестало подглядывать в окно гостиной. Джордж закатил коляску жены в ванную и помог ей подготовиться ко сну. Он молча расчесал её волосы. Глаза Лоис всматривались в него через отражение в зеркале, и Джордж почувствовал, как в глазах защипало. Он глядел на её лицо, переодевая Лоис в ночнушку, но оно оставалось безмолвным.

Звёзды сияли ярче обычного в безоблачном небе. Джордж сел в кресло-качалку лицом к окну.

— Дорогая, видишь эти звёзды? — он указал на небо за окном спальни, не поворачиваясь к Лоис, лежавшей в постели. — Это Андромеда. Знаешь её?

Он сидел, упёршись пятками в пол, и разглядывал её красоту.

— Жена Персея и эфиопская принцесса. Ты это знала?

Лоис ничего не ответила.

— Мы с ней смотрим друг на друга. Андромеда... Хочется повторять её имя снова и снова.

Он всё реже обращался к Лоис и всё чаще к звёздам.

— Андромеда, — он пристально посмотрел на звёзды и медленно повторил: — Ан-дро-ме-да.

***

Старик всё так же глядел в окно, подумывая о том, чтобы пойти спать, когда со стороны входной двери донёсся ужасный грохот. Это было так неожиданно и громко, что старик выпрыгнул из своего кресла. Медленно выйдя в коридор, он увидел, что от двери ничего не осталось. Вся прихожая была усеяна белыми щепками. Прокравшись по коридору, он наконец приметил незваного гостя, направлявшегося в гостиную.

— На пол! Быстро!

Лицо мужчины закрывала растянутая лыжная шапка, так что Джордж видел лишь его глаза сквозь самодельные прорези.

— У меня нечего красть, молодой человек, — сказал Джордж медленно приближавшемуся грабителю с пистолетом в руках.

Вор наставил пистолет на голову старика. Джорджа трясло, но он пытался сохранять спокойствие, опустившись на колени перед незнакомцем.

— Заткни пасть!

Мужчина в маске пнул Джорджа в живот. Оставив его на полу, грабитель продолжил шарить по ящикам и шкафам.

— Где инструменты, старик? Я забираю телевизор.

Джордж решил, что жизнь всё же ценнее нового телевизора.

— На кухне есть отвёртка. Я схожу за ней.

Он начал было подниматься, но тут его поясницу пронзила боль. Он закричал, но грабитель пнул его ещё раз — сильнее.

— Ну уж нет, я сам. В каком ящике?

Джордж не ответил, у него в ушах звенело. Его тело содрогалось от боли.

— У стариков обычно болит спина. Посмотрим, как там твоя.

Грабитель подпрыгнул и приземлился обеими ногами на поясницу Джорджа, затем пнул старика в рёбра. Джордж едва почувствовал второй удар из-за боли в спине, но услышал, как его рёбра хрустнули.

— Пожалуйста... — задыхался Джордж.

Он всего лишь хотел сказать, где найти отвёртку.

— Слева от холодильника.

Грабитель пошёл на кухню, оставив старика одного. Джордж был недалеко от журнального столика, на краю которого лежал телефон. Он попытался доползти до него. Он знал, что, если позвонит в полицию, грабитель не успеет добраться до драгоценностей Лоис, которые хранились в спальне. Джордж знал: если он ничего не предпримет до того момента, как незнакомец снимет телевизор со стены, тот не уйдёт, пока не заберёт всё, что хочет.

Джордж дотянулся до ножки журнального столика и поднялся, ухватившись за подлокотник дивана. На кухне громыхали ящики. Либо грабитель нашёл отвёртку и искал, что ещё можно взять, либо Джордж забыл положить инструмент на место. Узнавать, какой из этих вариантов верный, ему не хотелось. Он взял телефон и позвонил в «911». Он собирался повесить трубку, ничего не сказав, потому что знал, что полиция всё равно направит наряд по его адресу, но не подумал о том, какой громкий динамик у их телефона.

— Девять-один-один, что у вас произошло?

Голос женщины в трубке раздался так звонко, будто бы она стояла в коридоре.

— Ах ты тупой урод!

Грабитель выбежал из кухни и вырвал телефон из рук Джорджа. Он швырнул его на пол, и трубка разлетелась на кучу обломков. Грабитель стянул Джорджа с дивана и бросил его на пол.

Чувствуя холодное дуло, приставленное к его левому глазу, Джордж подумал о Флориде. Она была так близка всего несколько часов назад, а теперь до неё было не дотянуться. Губы грабителя шевелились, но Джордж его не слышал. Ему было всё равно.

Перед смертью на ум приходят довольно чудные мысли. Джордж подумал о чистом ночном небе и о том, как ему хочется лежать сейчас на траве и смотреть на звёзды. Он не думал о Лоис. Он будто бы совсем забыл о ней. Она была с ним почти всю его жизнь, но не сейчас. Её не было рядом последние три месяца, не считая её присутствия в пенсионных чеках. Звук выстрела пронёсся по маленькому домику и пронзил рот старика. Грабитель выбежал сквозь проломленную дверь с одной лишь отвёрткой в руках.

***

Когда прибыла полиция, всё было тихо. В доме воцарился специфический запах, и офицеры сразу его заметили. Один из них осмотрел старика и предположил, что выстрел убил его на месте, учитывая, куда попала пуля. Другой офицер снял отпечатки пальцев с кухонных поверхностей, не проронив ни слова. Третий полицейский дошёл до спальни, где увидел женщину — всё было тихо.

Эмоции на лице молодого офицера трудно было различить, так как он закрыл нос рукой. На кровати лежала женщина, скрестив руки на груди. От её трупа пахло, но не совсем разложением. Полицейский посмотрел на тумбочку рядом с кроватью. На ней лежали шприцы. Он отправился осматривать дом дальше и зашёл в ванную. Над раковиной стояли необычные бутыли. Офицер взял один из них с надписью «Frigid Fluid». Перевернув бутыль, полицейский прочитал состав, в котором значились формальдегид, глутаральдегид и метанол. На других бутылях было то же название, и полицейский начал понимать, что к чему.

Офицеры собрались вокруг нового трупа, чтобы его осмотреть. Конечности женщины побелели, кожа в некоторых местах облезла. Значит, она была мертва уже несколько месяцев. Так полицейские узнали, что тело продолжает разлагаться, даже если в него постоянно вводить бальзамирующий состав. Первый офицер уставился на тело и задумался о погибшем мужчине в гостиной, представив предысторию этой пожилой пары.

— Придётся отправлять труп на вскрытие, хотя он уже явно на стадии разложения. Видите, как кожа почернела и кости торчат? — сказал один из детективов.

— Тогда почему тело не воняет? — спросил офицер детектива.

— Оно разве не воняет? — повернулся тот к полицейскому, закрывавшему нос рукой.

— Ну, воняет, конечно, но я думал, что будет хуже.

— Осмелюсь предположить, что она под завязку накачана той дрянью, что стоит в ванной, — ответил детектив.

Ночь достигла своего апогея, и звёзды тлели над Черри Лэйн. Казалось, они пели свою еженощную песню и танцевали свой еженощный танец. На небе — ни облачка, так что ничто не скрывало звёзды от взора тех, кто любит еженощно разглядывать их, замышляя всякое. Той ночью засияла ещё одна звезда. Она танцевала и пела. Она не стала раздумывать о том, почему её душа вознеслась ввысь — мерцать и жить, а душа её мужа — нет. Благодаря ей, небо сияло ярче, чем когда-либо, над головой старика, и она улыбнулась, потому что звёзд не видно из-под земли.

Перевод Алёны Кондратьевой
Translated by Alyona Kondratyeva

Девушка в лиловом плаще

ТиДжэй Гленнон

Я шёл по тёмному переулку, засунув руки в карманы, и слушал звуки города: шёпот шин по мокрому асфальту, гудки машин, водители которых подрезают друг друга, приглушённые звуки ссоры молодой пары откуда-то сверху, из квартиры с контролируемой арендной платой. Басы отозвались дрожью в моём теле, когда я прошёл мимо чёрного входа клуба. Городской шум был почти что невыносим.«Пора переезжать на север штата, — подумал я. — Там будет тише, но это может в некотором роде усложнить мне жизнь». Я отметил про себя, что нужно будет поговорить с моим риелтором завтра вечером. Всё-таки она нашла мне роскошный дом из песчаника в Нью-Йорке, значит, найти небольшой сельский дом на севере штата ей не составит труда.

Девушка, которую я преследовал, свернула налево и вышла из переулка. Я отстал. Нельзя, чтобы она меня заметила, ещё слишком рано. Люди, особенно женщины, стали чересчур наблюдательными в наше время. В газетах и на сайтах то и дело пишут, что новое поколение ведёт себя крайне неосмотрительно, но это неправда. Они внимательнее, чем кажутся. Это усложняет мне жизнь.

Я завернул за угол и мельком увидел девушку на расстоянии квартала или вроде того от меня. Её длинный лиловый плащ выделялся на тёмном монотонном полотне ночи. Современный мир так обожал чёрный, что любой другой цвет привлекал моё внимание. Я уже какое-то время следовал за ней по пятам. Я столкнулся с ней почти неделю назад, когда она выходила из библиотеки.

Её книги разлетелись по асфальту.

— Чёрт! — воскликнула она.

— Простите, мне очень жаль, — сказал я. Мне была несвойственна такая неуклюжесть.

Я смотрел, как она опустилась на колени, чтобы запихнуть книги обратно в сумку, из которой они выпали. Я помог ей собрать бумаги.

— Ничего. Я тоже не смотрела, куда иду.

Она встала, откинув с лица короткие чёрные волосы. Я вручил ей стопку бумаг.

— Спасибо.

— Рад помочь. И ещё раз извиняюсь.

Она повесила сумку через плечо.

— Ничего страшного, правда, — она посмотрела на меня. — Ой!

Вау, как неловко! Я совершенно забыла, куда шла.

Она потрясла головой, словно пытаясь вернуть в неё ясность.

Я улыбнулся.

— Хорошего вечера.

Я уже знал, что должен заполучить её. Аромат её розовых духов остался на моём пиджаке и на кончиках моих пальцев, которые касались её бумаг. И этот её цветной плащ. Вот что сведёт её в могилу, но она ещё об этом не знала. Такая яркость в таком однотонном мире.

Я наблюдал за тем, как она ловко передвигалась в толпе. Она не шла, она танцевала. Изысканные па, кружащие вокруг людей, которые слишком прочно приросли к экранам телефонов, чтобы дать ей пройти. Я не смог отвести от неё глаз. Она обернулась, пробежав глазами по окружавшим её прохожим. Я достал телефон и слился с толпой. Она была из наблюдательных. Я позволил ей уйти вперёд, чтобы наверняка остаться незамеченным. Я не хотел, чтобы она увидела меня раньше времени.

Она нырнула в библиотеку, куда ходила каждый вечер после работы. Я впервые последовал за ней внутрь. Она сидела, разложив учебные материалы на столе. Книги возвышались неустойчивой стопкой. Справа стоял стаканчик кофе, его крышка была запачкана кружком алой помады. Мне не терпелось заговорить с ней, но я удержался. Я не хотел отвлекать её от учёбы. И я пока не знал, что именно хочу с ней сделать.

Я смотрел, как она устало собрала книги и бумаги. Она выглядела утомлённой. Но это была не простая усталость, которую чувствуешь под вечер. Нет, эта усталость пробирала её до души. Что произошло в её жизни? Отчего она себя так чувствовала? Моя девочка повесила сумку через плечо и поплелась к выходу. Несмотря на душевную усталость, она, казалось, танцевала на ходу. Это расшевелило что-то в моей душе.

Она шла быстро, мы уже практически дошли до её дома. Осталось всего несколько кварталов. Она зашла в китайский ресторан на первом этаже многоквартирного дома, в котором жила. Я ждал снаружи, притворяясь, что читаю газету, пока она ждала свой заказ. Судя по всему, она заказала курицу с кунжутом и овощной ло-мейн. «*Умеет ли она есть палочками? Или, может, она ест вилкой, как и все остальные?*» Если я не ошибся на её счёт, она определённо выберет палочки.

К счастью для меня, в доме, где она жила, не было консьержа. Входная дверь была открыта. В здание мог зайти кто угодно, будто так и надо. Она придержала дверь для мамы с маленьким ребёнком. «*Как мило!*»Я знал, что сделал правильный выбор. Теперь, когда она зашла домой, больше не нужно было идти за ней по пятам. Определить, где она живёт, будет не сложно. Кроме того, я не хотел, чтобы она меня заметила. Это уже случалось на неделе. Я знаю, что она видела меня несколько раз. Не стоило искушать судьбу, не сейчас.

Я сделал глубокий вдох и почуял слабый аромат роз. «*Её* аромат». Она пошла по лестнице. Судя по состоянию, в котором находилось здание, её выбор был обусловлен не здоровым образом жизни, а нежеланием застрять в лифте. Ей повезло. Она жила на четвёртом этаже из десяти. Вот её квартира. 316А. Я прислонился спиной к двери, слушая, как она двигается. Кажется, она налила себе бокал вина к китайской еде. За глотком вина последовал шорох бумажного пакета, скрип контейнера из пенопласта и треск разделённых палочек для еды. Она потёрла палочки друг о друга, чтобы избавиться от заноз. Я дам ей возможность доужинать перед тем, как она меня увидит.

Телевизор присвистнул, когда она его включила. Кажется, это была старая модель. Даже я не мог расслышать звук, с которым включаются современные телевизоры. Может, у неё проблемы с деньгами? Или она просто не считала нужным переходить на современную технику? Если учесть, в каком месте она жила, любой из двух вариантов мог оказаться верным. Я улыбнулся соседу с пакетом продуктов. Он лишь нахмурился в ответ. «*Типичный житель Нью-Йорка».* Я закатил глаза. Люди перестали друг другу улыбаться. Я не пытался услышать, что она смотрит. Это было неважно.

Что в ней было такого, почему я уже неделю ходил за ней по пятам? Мне несвойственно так долго выслеживать добычу, тем более с такой осторожностью. Но эта девушка в лиловом плаще никак не выходила у меня из головы. Я помешался на ней. Я следовал за ней, куда бы она ни шла — на работу, на учёбу, в библиотеку. Я увязывался за ней, как щенок, неважно, куда она направлялась. Мне на ум пришла дикая мысль.

«А что, если она не добыча, а...— я покачал головой.— *Не думай об этом. Воспользуйся ею сегодня ночью, а потом забудь о ней.* — Но мысль никуда не ушла,я вздохнул. — *Может, она — моя пара?* — я заскрежетал зубами. — *Нет!»*

Я услышал, как она бросила пустой пенопластовый контейнер в бумажный пакет, в котором принесла еду, пересекла квартиру и затолкала всё в мусор. До меня донёсся глухой стук, с которым она поставила на стол бутылку вина — наполовину опустошённую, судя по звуку. Вино всегда придаёт человеческой крови такой необычный вкус. Моя девочка уже пахла раем. Вино, которое она выпила, лишь украсит этот аромат. У меня потекли слюнки от одной мысли об этом.

Её шаги стихли. Может, она пошла в душ? Это был мой шанс. Я повернулся к двери и сосредоточился на задвижке. Я почувствовал, как она шаркнула по косяку, будто бы противясь мне. Наверное, хозяйке приходится дёргать и тянуть на себя дверь, чтобы задвижка стала на место. Наконец задвижка сдалась и отъехала на место. Я толкнул дверь, но она резко остановилась из-за цепочки. Это было неожиданно, но мне не составило труда с этим разобраться. Дверные цепочки обычно такие хлипкие, что, скорее, представляют собой плацебо, чем настоящую защиту. Цепочка беззвучно распалась, и я оказался в квартире моей девочки. Наконец-то.

Я огляделся. Квартира была скудно обставлена, будто бы хозяйка не была привязана к этому месту. У дальней стены стоял старенький диван, который когда-то, вероятно, был тёмно-синим, но сейчас его цвет напоминал потёртый джинс. Перед ним стоял исцарапанный и обшарпанный столик. Он выцвел, как и диван, от старости или от погоды. Самым ярким предметом в комнате, не считая её плаща, висевшего у двери, была ваза на кухонной стойке. В ней стояла дюжина роз в полном цвету. Часть из них были алыми, словно грех, а остальные — чёрными, как и то, что осталось от моей души. «*Какая она загадочная!*»Я ещё не встречал никого, кому бы нравились чёрные розы. От этого я захотел её ещё больше.

Я сел на диван и принялся ждать. Только старые диваны бывают такими удобными. «*Что она подумает, когда наконец увидит меня?*»Кто-то тихонько ахнул в дверях, и я отвлёкся от своих мыслей. Значит, она наконец-то узнала, что я здесь.

— Какого чёрта! Ты ещё кто такой?

Я не двинулся с места. Ей ни за что от меня не убежать. Я схвачу её прежде, чем она подумает о том, чтобы бежать. Я смотрел, как она медленно отходит к двери. Кажется, она не понимала, что я прекрасно знал, что у неё на уме.

— Слушай, давай ты свалишь из моей квартиры, а я притворюсь, что тебя не видела.

Я расслышал нотки страха в её голосе. Я наблюдал за ней, а она — за мной. Она была умна и не сводила с меня глаз ни на секунду. Обычно большинство людей рано или поздно отворачиваются. Но она не такая, как большинство. Я позволил ей приблизиться к двери. Я двигаюсь так быстро, что мог бы остановить её прежде, чем она успеет открыть дверь на миллиметр. Стоило ей коснуться ручки двери, как я встал. Дверь осталась закрытой, несмотря на то, что она потянула её на себя. Я одной рукой пресёк её попытку открыть дверь.

Она застыла, по-прежнему держась за ручку. Я оказался к ней ближе, чем когда-либо. Я чувствовал жар, исходящий от её испуганной кожи. Она сделала несколько шагов назад, подальше от меня. Она внимательно рассматривала меня, а я — её. Когда я увидел её впервые, не заметил, какие у неё глаза. Их светло-голубой оттенок казался почти что серым, а радужку опоясывало тёмно-синее кольцо. «*Это завораживает*». На её переносице виднелась лёгкая россыпь веснушек. Хоть она и не была рыжей, цветом кожи девушка явно напоминала ирландцев.

Эмоции сменяли друг друга на её лице. Страх само собой. Озадаченность. И... Узнавание? Вот чего я не ожидал. Она меня узнала? С того раза, когда мы столкнулись, или мы встречались и раньше? Память редко меня подводит, но иногда это всё же случается.

Я без труда преодолел расстояние между нами. Мне повезло: на моей девочке была надета майка. Неправда, что мы можем читать мысли, лишь посмотрев человеку в глаза. Нет, всё, что мне нужно сделать — прикоснуться к коже человека. Её кожа будто была в огне, хотя она дрожала от страха. Я не ожидал, что она будет сопротивляться. Она несколько раз ударила меня свободной рукой, пытаясь вывернуться из моей хватки.

Потом она закричала. Этого я уже не мог допустить. Я развернулся и пригвоздил её к двери, зажав рукой рот. Я зарычал, когда она прокусила мне палец до крови. Я сражался со своими инстинктами, которые подсказывали мне, что пора с ней кончать. Если бы мне удалось заставить её перестать кричать и поговорить со мной, может, мне бы и не пришлось её убивать. Хотя какая-то часть меня определённо хотела этого.

— Успокойся. Я не стану делать тебе больно.

Она перестала кричать и сопротивляться. Я не хотел лишать её рассудка, но было бы очень некстати, если бы какой-нибудь любопытный сосед позвонил в полицию, подумав, что услышал что-то странное. Я медленно убрал руку от её лица, но был готов снова зажать ей рот, если она опять закричит.

Её голос затих до шёпота.

— Кто ты? *Что* ты? Как ты?.. — вопросы сыпались из её рта один за другим.

— Думаю, самый важный вопрос — это как ты меня узнала?

Я не стал дожидаться её ответа. Мне не нужно было её согласие, чтобы получить от неё информацию.

Я пронёсся сквозь её воспоминания. Вот последний раз, когда мы виделись — я врезался в неё на выходе из библиотеки. Странно было видеть себя её глазами. Я мельком застал её мысли. Она была раздражена, можно понять. Но, что любопытно, я показался ей милым. Она подумала о том, чтобы познакомиться и позвать меня на свидание, но не стала этого делать. «*Интересно*». Её прекрасное имя вертелось на кончике её языка. «*Лилиана*».

Но было ещё одно воспоминание, давнее. Лилиане было лет десять, не больше, когда она шла вприпрыжку рядом с женщиной — должно быть, её матерью. Я почувствовал мороз в воздухе. Кажется, была зима или вроде того. Воспоминание было расплывчатым, будто я смотрел сквозь старое стекло. Так часто бывает со старыми воспоминаниями, но от этого смотреть их становится немного неприятно.

Лилиана с мамой зашли в ресторан. Китайский. «*Неудивительно*». Было неясно, что произошло дальше. Наверно, это было неважно. Следующее, что я увидел, — как им принесли заказ, и Лилиана с трудом попыталась есть палочками. Кажется, она решила добиться успеха во что бы то ни стало. Было забавно смотреть, как эта десятилетняя малышка пытается разобраться с палочками. «*Но почему она вспомнила именно это?»*

— Давай помогу.

Я снова почувствовал замешательство, увидев себя чужими глазами. Я видел себя таким, каким она меня видела. Кричаще рыжие волосы, собранные в хвост на затылке, зелёные глаза, про которые десятилетняя Лилиана подумала, что они «зелёные, как трава».

— Ты не против? — я поднял руку. — Я тоже левша.

«Кроме того, у меня была тысяча с лишним лет, чтобы натренироваться есть палочками».

Я вытащил себя из её воспоминания, но не из её мыслей. «*Так вот откуда взялось узнавание!*»Я рассмеялся не сдержавшись. Какая удача! Кажется, судьба хотела, чтобы мы были вместе хоть как-то.

Меня задело чувство одиночества в её мыслях. Неужели она так соскучилась по физической близости, что эти чувства возникли даже в моём присутствии? Я посмотрел третье воспоминание. Боль, которую она испытала, пронзила меня, будто бы это я страдал. Это был телефонный звонок.

Лилиана стояла посередине комнаты, когда зазвонил её телефон.

— Алло?

В её голосе слышалась растерянность. Звонили с незнакомого номера, но телефонный код был тем же, что у её матери. Я почувствовал сильное желание дотронуться донеё и попросить не отвечать на звонок.

— Лилиана МакАллистер?

— Кто это?

«*Ты не хочешь знать*», — подумал я.

— Это офицер Брэдли из департамента полиции Колорадо Спрингс. Боюсь, у меня для вас плохие новости... — мужчина осёкся.

Я не хотел слушать дальше. Я почувствовал душевную боль Лилианы.Тот звонок изменил её. Из беззаботной и общительной девушки она превратилась в меланхоличную и одинокую.

Смотреть это воспоминание казалось неправильным. Несмотря на то, что это произошло два или три года назад, боль, которую она испытывала, по-прежнему была такой же острой, как в день, когда это случилось. Судя по тем небольшим отрывкам, что мне удалось увидеть, они с матерью были очень близки, и, потеряв её, девушка чувствовала себя растерянной. Моё сердце переполнила жалость.

На этот раз я окончательно покинул её голову. Она смотрела на меня в недоумении.

— Что... Я не понимаю. Кто ты? — она запиналась о слова, будто не зная, какой вопрос задать первым.

Я отступил, чтобы оставить ей побольше места. Вместо того, чтобы снова броситься к двери, она медленно обошла вокруг меня, будто бы исследуя, оценивая противника. Что мне оставалось сказать?

— Я Алистер. Как тебя зовут?

Несмотря на то, что я уже знал ответ на этот вопрос, побывав в её голове, мне не хотелось показаться грубым.

Она удивлённо посмотрела на меня. Наверное, последнее, чего ожидаешь от незнакомца, вломившегося к тебе в квартиру, — это то, что он спросит твоё имя.

— Лилиана? — откликнулась она, повысив интонацию, будто бы не была уверена в своём ответе.

— Красивое имя.

— Что тебе нужно? — спросила она и сделала несколько шагов назад, пытаясь увеличить дистанцию между нами.

Я неторопливо приблизился к ней и заметил её телефон на журнальном столике, как только она на него взглянула. Она бросилась к нему, но я был быстрее.

— Это моё! Отдай!

Она попыталась выхватить его у меня из рук, но я держал телефон высоко над её головой. Я раскрошил его одной рукой, бросив то, что от него осталось, на пол. Я не мог допустить, чтобы она позвонила копам.

— Мы ведь не хотим, чтобы нас прервали, правда?

— Пожалуйста, не надо. Я не хочу умирать, — её голос дрожал.

Она солгала. Я видел это в её мыслях. Ей было неважно, будет она жить или умрёт.

Я снова сократил расстояние между нами. Протянув руку к её лицу, я провёл большим пальцем по её скуле. Я почувствовал, как её мышцы напряглись от моего прикосновения. Её дыхание участилось, стало поверхностным.

— Разве?

Её веки опустились. По щеке скатилась одна-единственная слеза.

— Я не знаю.

«*Она так молода, но в ней уже столько отчаяния*».

Лилиана слабо оттолкнула меня. Её кожа была настолько горячее моей, что, казалось, прожжёт меня насквозь.

— Пожалуйста, просто отпусти меня.

— Боюсь, я не могу этого сделать, Лилиана. Не сейчас.

— Почему? — в её голос закрались жалобные нотки.

Я не собирался её так мучить. Я снова погрузился в её разум, чтобы успокоить. Чтобы заставить её забыть об ужасе.

— Тише. Всё хорошо. Просто расслабься.

Кажется, мои слова возымели на неё противоположный эффект. Вместо того, чтобы повиноваться мне, она начала сопротивляться, когда я попытался погрузиться ещё глубже в её разум.

— Вон из моей головы!— её голос всё ещё дрожал, но, скорее, от решимости, чем от страха.

Я был поражён. Мне ещё никто никогда не сопротивлялся.

— Ты знаешь, что я делаю? — я поднял её лицо вверх за подбородок. — Посмотри на меня.

В её глазах отразилось неповиновение.

— Конечно, я это чувствую. Вон! Я не знаю, как ты это делаешь, но остановись.

«Любопытное развитие событий».

— Могу рассказать, если хочешь.

«Посмотрим, что она на это скажет».

Она кивнула, насколько могла, так как я всё ещё держал её за подбородок.

— Я вампир.

Лилиана закатила глаза.

— А я Эльвира.

Её недоверие меня не удивило. Мало кто верил сразу.

— Чем же тогда ещё объяснить холод моей кожи? Я знаю, ты его чувствуешь, — я положил её руку себе на грудь под рубашку. — Здесь нечему биться. Чувствуешь? Как же тогда я читаю твои мысли, откуда мне известны твои самые мрачные помыслы? Скажи.

Ей нечего было ответить. Лилиана просто покачала головой. Она посмотрела мне в глаза, пытаясь отыскать в них правду. «*Интересно, что она там видит? Что она на самом деле видит?*— подумал я.— *Видит ли она монстра внутри? Или человека, которым я когда-то был?*»

Остался лишь один способ ей это доказать. Я скользнул рукой к её затылку и потянул за волосы, чтобы обнажить шею. Пульс бился в ней, словно неоновая вывеска, указывающая мне путь. Я глубоко вдохнул её аромат, её истинный аромат, позволил ему заполнить мои ноздри. На поверхности был запах её розовых духов. На глубине я различил аромат вина, которое она выпила, и дуба, в котором его выдерживали. Кроме того, я уловил нотки страха. Это был чистый, почти что больничный запах. Ещё там было желание, пахнувшее экзотическими пряностями Старого света. Словно смесь корицы, гвоздики и мускатного ореха. Тоска. Одиночество. Они сплелись букетом фрезии в окружении нежного дыхания младенца. О чём она так тосковала, что этот запах так выделялся и кричал во всеуслышание?

Я погрузил клыки в её шею. Лилиана ахнула от удивления. «*Лишь глоток*», — напомнил я себе. Мне пока не хотелось её убивать. Я ещё не решил, что делать. Мне было сложно остановиться. Её вкус был таким же восхитительным, как и запах. Я почувствовал, как она колотит по мне руками, пытаясь оттолкнуть. Когда я наконец её отпустил, она отшатнулась, прижав к шее ладонь. В её глазах читался ужас. Она рухнула на диван. Я не двинулся с места.

Я поднял одну бровь.

— Теперь веришь?

Она кивнула. Я сел на диван, слегка поодаль.

— Ты меня убьёшь?

— Я ещё не решил, — ответил я честно. Я наблюдал, как она обдумывает мои слова. Мне было интересно узнать, что она думает, но я знал, что она больше никогда не пустит меня в свой разум.

— Почему я? — спросила она.

— Почему бы и нет?

— Думаю, я заслуживаю ответа, не так ли? Раз уж ты собираешься меня убить.

Я подумал о том, что она сказала.

— Думаю, ты права. Моё внимание привлёк твой плащ тем вечером у библиотеки.

Она взглянула на плащ, висевший у двери.

— Лиловый?

Я кивнул.

— Но решающую роль сыграл твой аромат. Я почувствовал его сразу, как оказался ближе.

— Ты специально в меня врезался, не так ли?

Я придвинулся к ней. Я уже попробовал её на вкус. Мне хотелось быть ближе. Она попыталась отстраниться, но деваться было некуда.

— Умно. Но нет, это была случайность.

— Подожди, ты о чём? Аромат? Ты про духи?

Я наклонился к ней. В её глазах виднелось моё отражение.

— Твои духи точно являются его частью. Но я имею в виду кое-что более глубинное. Это тот запах, который чуют животные, — я поднёс губы к её уху. — Некоторые называют его сексуальным влечением.

Мой голос стих до грубого шёпота на последней фразе. Она вздрогнула, почувствовав моё дыхание у своего уха. Аромат корицы и гвоздики усилился. Теперь она принадлежала мне. Я откинулся назад, чтобы взглянуть ей в лицо.

— Ты хочешь умереть, Лилиана?

Её передёрнуло. Вместо корицы я почувствовал запах улицы после дождя. Борьба. Смятение. Она действительно не знала, чего хочет.

После долгой паузы, она наконец ответила.

— Я не знаю. Я уже пыталась. Вроде того.

— Расскажи.

Лилиана сделала глубокий вдох.

— После того, как моя мама... умерла. Я чувствовала себя потерянно. У меня был пузырёк таблеток. То, что осталось от поездки в реанимацию. Я не помню, как они у меня оказались. Но я выпила все таблетки до последней. А потом мне стало страшно. Так что я вызвала рвоту. Больше я не пыталась. Но я постоянно об этом думаю.

Я чувствовал, как моё сердце разрывается на части от жалости к ней.

— Ты всё ещё выглядишь потерянной.

Она сцепила руки.

— Так и есть. У меня ничего нет. Ни семьи. Ни друзей. Я ненавижу свою работу, — она пожала плечами.

Что в этой девушке заставляло меня испытывать такие противоречивые чувства?

— Как насчёт учёбы?

— Я пошла учиться только потому, что это показалось мне необходимым. Не потому, что хотела.

— Что бы ты сделала, если бы я сказал, что не стану тебя убивать?

Я погладил свой подбородок. «*Может, предложить ей эту жизнь? Забрать её с собой?*»

Она снова пожала плечами. Лилиана вытерла слезу, катившуюся по её лицу, и уронила руку на колени.

— Я не знаю. Продолжила бы жить дальше, наверное. Так же, как живу сейчас.

— А что, если бы у тебя был выбор?

Я оказался на краю пропасти, из которой не было пути назад.

— Продолжать жить моей никчёмной жизнью или позволить тебе себя убить? Такой себе выбор.

Она всхлипнула и вытерла ещё несколько слёз.

Я протянул к ней руку и снова взял её за подбородок.

— Посмотри на меня.

Её глаза по-прежнему смотрели в пол.

— Посмотри на меня, — рыкнул я.

Мои пальцы сжались на её затылке.

Лилиана наконец посмотрела мне в глаза.

— Я мог бы сделать тебя такой же, как я.

«*Пути назад нет*».

— Как ты? В... вампиром?

Я почувствовал, как в её разуме завертелся вихрь тысячи разных эмоций. Она потеряла бдительность. Лилиана искренне заинтересовалась этой мыслью, чем ввергла меня в шок. Последний раз, когда я сделал это предложение, моё сердце разбили на тысячи маленьких осколков, и я поклялся себе, что больше никогда не сделаю этого снова. Но вот, тысячу лет спустя, я снова кому-то это предлагаю. Удивит ли меня девушка в лиловом плаще в очередной раз?

— Что тебе терять? — спросил я мягко.

— Думаю, нечего.

У меня перехватило дыхание.

— Значит, твой ответ — да?

— Да.

Несмотря на то, что она перешла на едва уловимый шёпот, я прекрасно расслышал её ответ. Я снова притянул её к себе, намереваясь поговорить, но она остановила меня, положив руку мне на грудь.

— Подожди.

Я вопросительно посмотрел на неё.

— Что?

— Как это происходит? Обращение? Превращение? Или как там оно называется.

Меня рассмешили её слова.

— Мы обменяемся кровью. Я возьму твою, а ты — мою. По кругу. Всё закончится, когда ты возьмёшь себе мою кровь в последний раз.

Лилиана поморщилась.

— Фу-у-у. Мне придётся пить твою кровь?

— Придётся привыкать. Скоро у тебя не будет иного выбора.

Я покачал головой. «*Невероятно!*»

Она усмехнулась.

— Ну, для вампиров-то это нормально, — сказала она, снова пожав плечами. — Но для человека это довольно противно.

— Если подумать, у человека вправду могут возникнуть с этим сложности.

— Мы таким обычно не занимаемся.

Я потянул её к себе, усадив на колени. Она пискнула от удивления.

— Хватит медлить, — сказал я.

Её дыхание участилось. Ей по-прежнему было страшно, несмотря на то, что она уже дала своё согласие. Я снова погрузил клыки в её шею, на этот раз максимально бережно, при этом прокусив кожу до самой артерии. Это больше, чем просто глоток. Её расплавленная горячая кровь брызнула мне в рот. Уже этого было достаточно, чтобы свести меня с ума. Она попыталась вырваться из моих объятий, поддавшись страху, пока я пил, но ей было ни за что не справиться со мной. Сердцебиение Лилианы гремело в моих ушах, подгоняемое страхом и потерей крови. Неимоверным усилием воли я оторвался от неё, чтобы инициировать обмен.

Порвав зубами кожу на собственном запястье, я поднёс руку к её губам. Лилиана ослабела, потеряв много крови.

— Пей, дорогая, — подбодрил я её.

Она подчинилась, цепляясь за меня. Когда моя голова начала кружиться, я отдалился от неё, чтобы снова приступить к обмену. В этот раз я выпил ещё больше крови, и её сердцебиение стало нерегулярным. С каждым подходом мы забирали друг у друга всё больше крови. Последний обмен — самый опасный. Для меня.

Она начала меняться, когда я выпил её кровь в последний раз. Её кожа охладела. Аромат её тела изменился. Всё шло как надо. Превращение завершится, когда она выпьет мою кровь в последний раз. Её тело умрёт, но она по-прежнему будет Лилианой. Бессмертной. Моей спутницей до скончания века.

Я услышал, как её сердце снова начало сбиваться с ритма, но продолжил пить. Она должна быть на грани жизни и смерти, чтобы всё сработало. Паузы между ударами её сердца становились длиннее. Я отстранился от неё в последний раз. Её веки дрожали, она изо всех сил пыталась остаться в сознании. Я бережно взял её голову и приложил к своей шее. Её клыки выросли, и теперь их длины хватало, чтобы прокусить плоть.

— Лилиана, ты должна выпить мою кровь в последний раз, если хочешь жить.

На мгновение меня охватила паника. Что, если я выпил слишком много, и она умирает?

Её новорождённые клыки пронзили мою кожу. Они едва ли были острыми, но справились с задачей. Она пила не останавливаясь и становилась всё сильнее, а я — слабее. Перед глазами плыло. Я не знал, хватит ли у меня сил оттолкнуть её. Я попытался отодвинуться.

— Хватит. Лилиана, отпусти меня.

Наконец она остановилась, недовольно рыкнув. Я завалился на бок в одну сторону, она — в другую. Я едва мог пошевелиться. Я позволил ей выпить у себя больше крови, чем следовало. Но благодаря этому, она обретёт невероятную силу. До этого в моей крови не было примесей. Неважно, скольких ещё я мог бы обратить после неё, она навсегда останется самой сильной. Лилиана застонала от боли, когда её тело окончательно погибло. Я почувствовал, как силы начали возвращаться ко мне, но мне нужно было во что бы то ни стало найти еду, возможно, больше одного человека. Как и Лилиане. Новорождённые вампиры печально известны своей прожорливостью.

Лилиана осмотрелась. Она казалась сбитой с толку, потерянной. Её будто бы удивило, что я сидел рядом. Я поднял руку в успокаивающем жесте.

— Всё хорошо. С тобой всё в порядке.

— Получилось? Я умерла?

В её голосе появились панические нотки.

— Ты не умерла. Ну, точнее, умерла, но ты понимаешь, что я имею в виду.

Она покачала головой.

— Ты говоришь какие-то глупости.

Я пожал плечами.

— И теперь я весь твой на веки вечные.

Это заставило её улыбнуться.

Сложно описать, как обращение меняет человека. Он попрежнему выглядит собой, но в таком человеке будто бы есть что-то ещё, что-то *большее*. Словно мираж или аура. Нет, обращённые люди не начинают светиться. Как я уже сказал, это сложно описать. Я разглядывал лицо Лилианы, будто увидел его впервые. Теперь у неё была бледная кожа, как у меня, отчего её веснушки стали намного заметнее. В её чёрных локонах словно прятались цветные призмы, напоминая масляные разводы в лужах. А её глаза... Если при жизни они завораживали, то теперь их было невозможно описать словами. Их голубой цвет стал насыщеннее, как и серый. Тёмная окантовка её радужки стала одновременно темнее и светлее. Её глаза будто были подсвечены изнутри. Они словно светились. Я не мог оторвать взгляда.

Лилиана приподняла одну бровь.

— На что ты уставился?

— На тебя, конечно же.

Это была чистая правда. Я уверен, она бы залилась румянцем, если бы могла. Я встал и протянул ей ладонь.

— Давай, пойдём.

Она взяла меня за руку.

— Куда?

Я схватил лиловый плащ, висевший у двери, и помог Лилиане его надеть.

— Куда захочется. Нам принадлежит весь мир.

Перевод Алёны Кондратьевой
Translated by Alyona Kondratyeva

Оттуда, где ты стоишь

Касс Френсис

Только спокойные размышления не давали ей окончательно сойти с ума. Конечно, она немного разозлилась прошлой ночью, когда соседи снова шумели — это были звуки саундтрека романтической комедии, прерываемые хохочущими голосами, тихими ровно настолько, чтобы невозможно было различить слов. Как всегда, она крикнула в отверстие в потолке: «Заткнитесь!» И когда вместо ответа последовал лишь очередной шквал хохота, она ударила кулаком по смежной стене, и на её руке появился ушиб, серый, как клякса от грифеля карандаша.

Люди на улице оживились.

— Покажи им, Бренди! — выкрикнул один из них, сложив руки рупором и крича в стену, выходящую на улицу, — стеклянную стену.

Бренди сказала про себя: «Я красивая и сильная, и я едина со Вселенной». Чтобы доказать своё единство со Вселенной, она оглянулась вокруг: краска белая, шторы в ду́ше серые, простыня синяя, то есть тёмно-синяя, как надвигающийся шторм. Стол коричневый. Коврик сиреневый. И стекло… а стекло же не имеет цвета, не так ли? Кроме того, оно принимает цвет в зависимости от того, что находится за ним, и от того, где стоишь ты сам.

На минуту Бренди застыла от резкой боли в руке. Она уставилась в стеклянную стену, проходящую через здание, сквозь которую можно было видеть каждую квартиру, каждую комнату, каждую жизнь. Она напомнила себе, что сама согласилась тут поселиться. Это большая честь. Она продолжила осматривать квартиру: ковёр был коричневым, потолок — белым, вернее, цвета попкорна с серебристыми отблесками, отражавшими свет, который шёл снизу.

Ей нужно было оставаться в своём уме. Было бы неправильно сойти с ума прямо здесь, полностью потерять рассудок. Настоящего сумасшествия не видно. Оно бывает тихим. Оно охватывает человека так, что кажется, он делает то, чего на самом деле не делал. Настоящее сумасшествие не так легко сдержать, удержать за стеклом.

Тем более, что жить тут было большой честью. Прошло голосование, и люди решили, что она будет одной из немногих, кто сможет поселиться в открытых квартирах. Меньше года назад она была обычной девушкой, работающей в супермаркете, хотя она всегда была красивой и популярной — ладила с людьми, как говорил её дед, и талантливой. Складывая одежду, занимаясь инвентаризацией и выслушивая капризы клиентов, Бренди жила мечтой. Однажды она будет актрисой, певицей, звездой.

Её теперешняя жизнь казалась такой невозможной, что она не могла себе представить такую раньше. Бесплатно получить открытую квартиру? С постоянным присутствием людей, которые кричат тебе что-то? Которые хотят знать тебя настоящую? Это было больше, чем актёрская игра. Это было то, какой должна быть жизнь — люди всегда видят твои неудачные дни, твою боль, твои удачные дни и твои триумфы. Люди всегда здесь, они на улице и днём, и ночью, кричат что-то Бренди и другим жильцам открытых квартир.

И всё, чем Бренди заслужила эту квартиру, был крик.

***

Однажды её ограбили после полуночи на тихой улице, когда она возвращалась из магазина, где купила консервированные персики для своего деда, который заботился о ней после развода родителей и о котором теперь старалась заботиться она, потому что он медленно умирал от рака лёгких.

Когда грабитель вырывал кошелёк из её рук — почти как в балете, лампы магазина позади него слабо отражались на тротуаре, — в ней что-то перевернулось. По ней покатилась холодная волна, как будто на голову опрокинули керосин, капающий с её волос и кожи. Грабитель откинул капюшон и показал своё лицо. Его глаза блестели, во взгляде был отблеск отчаяния и страха. Бренди подумала, что, наверное, её глаза выглядели также прошлой ночью, когда она прижимала чашку к губам своего деда, проснувшегося от удушья. Его кашель распылял куски мокроты и крови.

Вместо того чтобы делать то, что обычно делают в опасных ситуациях — сохранять спокойствие, действовать по инструкции и не геройствовать, — Бренди начала кричать. Кричать, как ошпаренная. Кричать, как сумасшедшая. Кричать, как женщина, чья жизнь рушится из-за смерти, неудач и медицинских счетов, которая устала и испугана и которая вышла на улицу в этот поздний час потому, что консервированные персики — единственный продукт, который мог переварить её любимый человек, — закончились.

Поражённый её упорством, грабитель кинул кошелёк и поднял руки так, будто она держала оружие. Она подумала, что, наверное, её пронзительный крик звучал именно так — как нож или как свист пули, двигающейся к цели. Всё ещё крича и плача, она подняла кошелёк, и вместо того чтобы бежать, она стала бить грабителя по голове. Мужчина, вышедший из магазина, повалил грабителя на землю, а женщина, которая вышла на перекур и услышала крик, побежала в сторону драки, вскрикнула и вызвала полицию.

На следующий день эта история была во всех новостях, а далее попала в интернет. «Кто эта женщина? Почему она так поступила?» —

спрашивали люди. «Как мне стать таким же смелым?»

***

Но Бренди не чувствовала себя смелой — ни сражаясь с грабителем, ни через месяц, когда умер дед, и точно не сейчас, спустя несколько месяцев после переезда в открытую квартиру. Она была настолько несмелой, что ей приходилось напоминать себе о том, что нужно дышать. Ей приходилось вспоминать цвет стены, стола, простыни, жёлтой лампы, коричневого ковра, красного коврика в ванной. Оконного стекла.

Стекло… Она раньше никогда не думала о том, как тяжело жить в открытой квартире, несмотря на явную честь. В детстве она тоже ходила к одному из таких зданий в нескольких кварталах от своей нормальной закрытой квартиры, где вещи бились о стены, обои были блеклыми, а крик её родителей был настолько громким, что слова походили на волны, бьющиеся об утёс. Была одна женщина, за которой Бренди особенно любила наблюдать. Она была очень грациозна, будто её тело было сшито для неё, подобно одежде. Она всегда ходила по квартире, облизывая губы и убирая светлые волосы со лба с холодной небрежностью, которой Бренди стремилась подражать. Однако тогда, будучи в школьной форме, в рубашке на пуговицах, которая жала под мышками, она не могла набраться смелости.

Теперь она легла на другой бок и уставилась на толпу через стекло, уменьшившуюся в числе к вечеру и рассеявшуюся по улице. Уличные фонари переливались от оранжевого к жёлтому. Чем меньше становилось людей, тем больше лиц могла разглядеть Бренди со своего второго этажа. Одним из них был мальчик лет пятнадцати-шестнадцати, увлечённый одной из живущих на первом этаже, которых Бренди никогда не видела. Она почти никого не знала из своих соседей, кроме мужчины с пуделем, который встретил её в лобби в день переезда.

— Его зовут Кекс, — сказал мужчина, пока она сконфуженно стояла в лобби, уверенная, что что-то забыла в доме деда, что-то маленькое, но важное. Она так быстро решила переехать, так быстро собралась — ей не терпелось покончить с этим местом.

— Что? — спросила она у мужчины, чьи глаза сверкали, как рыбья чешуя.

Потом она заметила в его руках пуделя с блестящим ошейником.

— Хотите его подержать? — спросил мужчина.

Прежде чем Бренди успела отказаться и сказать, что ждёт домовладельца, мужчина всучил ей собаку, и она прижала её к груди.

— Присматривай за ним, хорошо? — сказал мужчина тонким, мальчишеским голосом и помчался к входной двери.

Вахтёр заносил в дом одну из сумок Бренди. Он остановился, выронил сумку и крикнул вслед мужчине:

— Мистер Кристофер, опять?!

Конечно, его вернули обратно. Если кто-нибудь покидал здание без крайней необходимости, как, например, в случае смерти близкого человека или рождения ребёнка, он прерывал договор об аренде. Бренди стояла в лобби с собакой в руках, пока та не начала вилять хвостом, а вахтёр вёл мистера Кристофера домой за руку.

— Кекс, — сказал мистер Кристофер, забирая собаку у Бренди.

Потом мужчина с собакой спустился к себе на первый этаж, а Бренди поднялась в свою квартиру, и несмотря на то, что она спускалась в лобби разок-другой, не видела никого, кроме вахтёра. Она больше не видела мистера Кристофера, хотя видела Кекса. Его выгуливала темноволосая девушка с красным рюкзаком. Вахтёр сказал, что после очередной неудачной попытки сбежать мистеру Кристоферу было очень стыдно, и он не вылезал из своей квартиры неделями.

Он жил по соседству с женщиной, которой увлекался мальчик. Мистер Кристофер был какой-то телевизионной личностью, а женщина была адвокатом. Соседями Бренди были молодожёны, чью историю любви называли необычной, но Бренди ничего о ней не знала. На третьем этаже жила семья с десятью детьми — для них было развлечением выживать в такой тесноте. Рядом с ними обитала пожилая пара, которая жила здесь десятилетиями. Муж был режиссёром, а жена — журналисткой, делающей скандальные истории важными и популярными. Бренди почти ничего не знала ни об одном из них, кроме мистера Кристофера, поскольку вскоре после её переезда домовладелец позвонил ей и другим жителям и предупредил, чтобы они не брали пуделя ни при каких обстоятельствах и сообщали вахтёру, если мистер Кристофер начинал вести себя странно.

Бренди не могла поверить, что живёт среди таких невероятных людей. Всё же она ещё не могла понять, как засыпать, когда люди смотрят на неё, даже если ночью толпа становится меньше.

— Я люблю вас! — крикнул мальчик убаюкивающим тоном в стекло, за которым его любимая наверняка ложилась в постель. Бренди задумалась о том, будет ли и она когда-то так привлекать незнакомцев, и о том, каково это жить на первом этаже, так близко к толпе. Потихоньку засыпая, она подумала, что может, это хорошо — видеть их лица вблизи, чем смотреть на них сверху, когда на их лбы попадает тень.

***

Только спокойные размышления не давали ей совсем сойти с ума. Ковёр коричневый. Мыльница цвета морской волны. Чёрный телевизор. «Найди себе хобби», — написал ей старик, который жил этажом выше, после того как она переехала. Она представляла, что у него опущенные седые брови и голубые глаза, такие же добрые, как у её деда, а не дикие и светящиеся, как у мистера Кристофера. «Погрузись в него с головой», — добавил старик.

«Ядовитые, слизистые стервятники!» — хотела иногда крикнуть Бренди толпе, но еле сдерживала себя, приложив руки к губам, помня, что они и вправду всегда там, и они всегда наблюдают. Она обыгрывала это, изображая зевок. Но так не могло дальше продолжаться, так как рано или поздно один из них мог написать домовладельцу, что Бренди из квартиры 2Б нужен врач, потому что она зевает слишком часто — что, если это мононуклеоз? Что, если это хроническая усталость? Что, если напряжённость здешней жизни надоедала ей — в конце концов, она оказалась тут не из-за таланта, а так распорядилась госпожа удача. Можно понять, почему она не выдерживает. Можно понять, почему она разваливается на части...

Она не хотела, чтобы они видели, как она сходит с ума.

Она не хотела, чтобы они собирались внизу посмотреть на её сумасшествие. Она клялась, что не будет такой, как мистер Кристофер — его любили лишь потому, что он был безнадёжен и пытался сбежать вновь и вновь, давая им повод для смеха и болтовни. Если бы она и вправду сошла тут с ума, они бы никогда о ней не забыли. Они бы построили статуи, написали стихи и назвали фонды её именем, фонды помощи сумасшедшим. Они бы пели о ней после её смерти. Но негодование от того, что её жизнь могла бы быть так украдена, потрясала её до самой сущности. Она вспомнила резкое удивление и страх в глазах грабителя, когда она начала кричать. Она вспомнила, как он молил её остановиться, когда она била его кошельком, едва слыша от злости.

— У нас закончились персики, — стоя перед шкафом на кухне, сказала Бренди своему деду, сидевшему на диване в соседней комнате. — Я побегу куплю их.

Над горой посуды летали мухи, стена за плитой была испачкана соусом для спагетти. Она открыла шкаф и сказала: «У нас закончились персики. Я побегу куплю их». И, может быть, она не заметила пары банок, которые стояли в шкафу. Может, она пробежала мимо деда, чтобы вдохнуть ночь, и, может, она по дороге остановилась в баре, чтобы выпить кружку пива, ну или пять кружек, потому что было холодно — было очень холодно. И, может, она там осталась на час или два, сгорбившись над своим напитком в безопасной тени, как ребёнок, прижимающий к себе игрушку ночью. Тогда у неё были такие моменты — секретные моменты, которых в конце концов могло никогда и не быть. Это были красивые и мирные моменты, потому что они всегда происходили на улице, а не внутри — она так легко забыла об их существовании, просто выключая свой разум, просто уходя. В тот день в окне бара она увидела оранжевый свет, напомнивший ей о персиках. Она сходила в магазин. Случилась история с грабителем. И вдруг секретов не стало, потому что она теперь была слишком смелой для секретов. У неё больше не должно было быть секретов.

Но было стекло. Стекло, которое меняло цвет в зависимости от времени суток, времени года и от того, кто за ним стоял.

***

Она слышала, что был единственный способ уйти, чтобы люди в толпе забыли о тебе, забыли и перестали собираться за твоим окном и заглядывать, шпионить за твоей жизнью. Единственный способ уйти — стать скучным. Стать настолько безжизненным, чтобы они забыли, что ты жив, чтобы толпа не приходила смотреть на тебя, чтобы никто не показывал пальцем, не шептался о тебе с друзьями, не кричал, чтобы никто не скрещивал неодобрительно руки, когда не нравилось, что ты делаешь, чтобы никто не морщился от солнечного света, отражающегося от стекла твоего окна. Она слышала об этом. Но она не слышала о том, что случается с теми, кого посчитали слишком скучным. Она не знала, куда они уходили, какую жизнь вели. Она и не интересовалась этим раньше.

Бренди вспомнила, как однажды ночью, когда мистер Кристофер вновь попытался убежать, его поймали, и когда Кекс, которого он оставил у двери Бренди, начал лаять. Бренди взяла Кекса и подошла к окну. В толпе был переполох. Мистер Кристофер кинулся на улицу, вахтёр бежал за ним. Но мистер Кристофер не убегал, он хмурился и останавливался запыхавшись, его шаги стали шаткими. Он пожимал руки людям из толпы, пока вахтёр не схватил его и не поволок в сторону. Несколько человек сделали фотографии. Когда мистер Кристофер исчез, толпа кричала ему вслед.

Бренди было интересно, почему толпа до сих пор её не забыла.

В конце концов, она была обычным человеком с обычной историей, которая стала знаменитой всего пару недель назад, которой позволялось — после того, как начальное ощущение утихло — вернуться к своей прежней жизни. Даже читая договор аренды, она представляла открытую квартиру отелем или поездкой, выигранной в лотерею. Чем-то отличным и роскошным. Чем-то, что продолжается несколько дней, а потом можно снова вернуться и быть девушкой, работающей в супермаркете и мечтающей стать актрисой.

Однако толпа питалась секретами или, скорее, она питалась слабыми тенями секретов, оставленных позади, лишь мрачно мелькавшими через стекло. Она вспомнила, как смотрела в квартиру женщины, которой она восхищалась. Смотрела часами, так долго, что её ноги начинали болеть, а холод, проходивший по её голым рукам, заставлял задуматься, что внутри, за стеклом, должно быть теплее, чем снаружи. Она представляла, как говорит с этой женщиной. Она представляла, что эта женщина — её мама. Они говорили о жизни — не на глубокие философские темы, а о практических вещах: как собирать волосы, как готовить еду, чем увлажнять кожу, как брить ноги. В то же время Бренди было интересно, почему женщина жила одна. Почему она здесь, в открытой квартире, а не за закрытыми дверями, за закрытыми, неотполированными окнами.

Через час после попытки мистера Кристофера сбежать застенчиво вошёл вахтёр. Он забрал Кекса у Бренди. Собака виляла хвостом и качала головой, пока швейцар спускался по лестнице.

Вернуться к прежней жизни было бы одиноко. Гораздо более одиноко, чем за стеклом, где хотя бы внутренняя работа её разума, казалось, имела смысл.

***

Она не могла выбросить этого из головы — одиночество, светящиеся глаза Кекса, плавное переливание цвета стекла из белого в золотой, потом в розовый, сиреневый, и чёрный. Был ли кто-то настолько скучным, чтобы уйти? И как живут дальше люди, о которых забыла толпа? Бренди не слышала, чтобы такое случалось. Она попыталась вспомнить за секунду каждое лицо, которое она увидела на улице, пока шла сюда. Она напрягла разум, пытаясь вспомнить черты этих лиц и оживить их в памяти, и решить, видела ли она их раньше в открытой квартире, видела ли их, проходя мимо, пока её взгляд не приковывала к себе женщина, за которой она виновато наблюдала после школы, потому что не хотела возвращаться домой. После долгих размышлений Бренди так и не смогла вспомнить этих лиц. Она не могла вообразить, что увидит внизу одного из тех, кто когда-то был на её месте по эту сторону стекла.

Этой ночью она всё ещё думала об этом, когда принимала душ, пытаясь вспомнить хоть одно лицо. Вокруг неё поднялся пар, и она поняла, что толпа больше её не видит. Видит, но не полностью. Они могут видеть очертания её фигуры за шторой, но из-за пара они не могут видеть, что она делает.

Она протянула руку и прижала ладонь к холодному кафелю так, словно её отпечатки останутся на нём после её ухода. Пока тепло её руки уходило в кафель, она решила: если собирается остаться здесь, работа её разума должна быть под покровом тайны — тайны, которая недоступна толпе. Она попытается не кричать на соседей, когда те слишком громко включают телевизор или хохочут по ночам. Она будет ходить по комнате, повторяя цвета вещей про себя. А потом, уже лёжа на спине в постели, она раскроет ладонь. Она мягко сожмёт ею простыню, лежащую рядом. Толпа не сможет увидеть, что она делает под одеялом, и она будет наслаждаться этим тихим мятежом — простыня такая холодная!

Простыня синяя. Ковёр коричневый. Телевизор чёрный.

Стекло было пятнистым. На улице росли деревья. Кривое дерево и сталь смотровой площадки, которую построили люди, и несколько силуэтов, стоящих снаружи, которые вглядывались внутрь. Они смотрели на неё. Они будто чувствовали её секреты, как собака чувствует надвигающийся шторм, поднимая уши внаэлектризованном воздухе.

Перевод Камила Сарийева
Translated by Kamil Sariyev

Лайла

Джонатан Ковен

За три дня до того как попрощаться со своими прежними глазами, она впервые попробовала курить опиум. Лайла сидела на краешке своей кровати рядом с Хэнком. Её ноздри согревал густой аромат какао и ромашки. Будучи слепой, Лайла вдыхала его, собирая насыщенный запахом воздух языком и пробуя его на вкус. Она услышала, как дрожащий огонёк зажигалки погас, и Хэнк затянулся. Затем он передал трубку девушке и зажёг её. Лайла вдохнула немного дыма. Аромат промариновал её лёгкие, став пленником в её теле. Она задумалась, как долго сможет задерживать дыхание. В конце концов она сдалась представляя, как дым сворачивается грозовыми тучами под её потолком.

Прилив эйфории. Она почувствовала, как прохладный воздух обволакивает её, будто одеялом. Воображаемые подушки навалились на её плечи вплотную к шее, утверждая её место в пространстве. Эйфория всё нарастала, а звуки волнами врывались в её уши. Они то приближались, то отдалялись, повторяя свой бег и расходясь рябью по слуховым каналам Лайлы. Шум метался, раскрывался, нарастал и снова спадал.

Хэнк положил руку на бедро Лайлы, и она позволила ему трогать себя там, где ещё никто и никогда её не касался.

— Ты уверена?

Лайла не ответила, и он продолжил. Он был нежен и мягко гладил её, будто спящую собаку. Это вряд ли можно было назвать приятным, но Лайла знала, что Хэнк не причинит ей вреда, и не стала его останавливать.

В этом мгновении, когда Лайла почувствовала, как покоряется медленному горению времени, было что-то от смерти. Это мгновение было не остановить, незачем было пытаться, и всё произошло без сопротивления. Падение, нескончаемое пятиминутное падение, пока Хэнк продолжал, она чувствовала себя желанной, настоящей, но опустошённой.

Опиумное дыхание Хэнка окутало его язык, который извивался у неё во рту. Лайла ощущала, как его губы раскрывались и снова смыкались, ощущала его язык, его дыхание, срываясь в минуты, срываясь в грёзы. Она начала считать, сколько раз он столкнулся с её зубами своими — почти что с десяток, и ей это нравилось. Его смятение и отчаяние льстили ей и как бы говорили, что она нужна. Лайла ждала бесстрастно, но заинтригованно. Наконец он выдохся и остановился.

В её теле почти не осталось эйфории. Она стекла ручейком по её рукам к пояснице. Лайла попыталась представить, как выглядит пот. Он такой же голубой, какой должна быть вода в океане? А голубой — неужели он действительно настолько яркий и великолепный, каким она его себе представляет? Лайла задумчиво улыбнулась, и Хэнк взял её за руку.

— Тебе страшно?

Лайла знала, что он имеет в виду операцию. Ей не хотелось об этом говорить. Нет, ей хотелось говорить обо всех возможностях, которые дарит зрение. Лайле было восемнадцать, и она ещё никогда ничего не видела. С тех самых пор, как была назначена дата операции, её папа только и говорил о красоте, которая ждёт её, о голубом небе, что вечно простирается над их головами.

Она подумала о триумфе нескончаемого неба. О пригвождённых к нему облакам — белым клочьям, несущим голубизну разлитой воды. В её голове смущённо задрожала надежда на счастье. Она наконец-то увидит *запределье*. Лайла станет частью всего этого. Было что-то волшебное в причастности к миру зрения.

— Нет, я воодушевлена. Мне не терпится всё увидеть.

— Хорошо. Я рад за тебя, Лайла.

Хэнк медленно провёл пальцами по её предплечью и остановился на внутренней стороне локтя, пытаясь её пощекотать.

— Итак, что же ты хочешь увидеть первым делом? Когда ты сможешь видеть, на что тебе захочется смотреть больше всего?

— Я хочу увидеть себя, — сказала она.

Хэнк убрал свои руки. По его молчанию Лайла догадалась, что он хотел услышать другой ответ — что ей больше всего захочется посмотреть на него.

— А потом я хочу увидеть тебя. Ещё я хочу увидеть небо, машины и всё такое. Понимаешь?

Хэнк заговорил на пол октавы выше, что означало улыбку.

— Да. Понимаю. Я рад за тебя и думаю, что ты покажешься себе очень симпатичной. Я думаю, что *ты* очень симпатичная.

Лайла почувствовала, будто её разум испаряется. Отрезвление, падение с высоты эйфории. Она рухнула в пять разных грёз: цветы мира, глас гор, танец прилива, размах неба и ощущение своего тела.

Хэнк свалился в любовные грёзы, как все люди, которые могли видеть в отличие от Лайлы. Все испытывают это нестерпимое желание влюбиться, но только не Лайла. Она хотела знать, каково это — понимать разницу между льдом и небом? Предположительно, и то, и другое голубое, но при этом они совершенно разные. Она хотела знать, чем яблоко отличается от пламени — у каждого своя эстетика, которую ей до сих пор не дано было постичь. Она искала смысл в голубизне и желтизне, но не в чувстве любви и тем более не в любви к

Хэнку. Она хотела любви для себя, потому что она существует. Она хотела увидеть её своими глазами.

— Могу представить... Ты точно красивый. Если бы я могла видеть, я бы посчитала тебя красивым.

Хэнк взял Лайлу за неподвижно лежавшую руку. Он сжал её и прижался губами к кончику каждого пальца.

***

Тем же вечером Лайла ужинала со своим отцом. Последний раз они вместе ели две недели назад, потому что он то и дело работал допоздна.

— Нам нужно поговорить.

Она услышала, как он медленно втянул носом воздух и вздохнул.

— Дело такое...

Лайла проглотила ещё одну ложку кускуса.

— Я знаю, что ты наверняка нервничаешь из-за операции. Не пытайся делать вид, что это не так. Лайла, я хочу, чтобы ты знала: после неё всё будет иначе. Я хочу, чтобы ты знала, что всё будет замечательно. Помнишь, какой предмет в садике тебе нравился больше всего?

Лайла продолжила жевать. Между ними выросла стена безмолвия, и Лайла почувствовала себя невозможно маленькой. Тишина послужила напоминанием о том, что совсем скоро она почувствует себя видимой, поэтому обязана что-то ответить отцу. Она перестанет быть невидимой.

— Да, пап. Да, я любила рисование. А почему ты спрашиваешь?

Он молчал, а потом она услышала, как его стакан с водой оторвался от поверхности стола. Его глотки были шумными, их было много. Стекло снова коснулось стола. Спустя мгновение он шлёпнул ладонями по столу.

— Ты сможешь видеть, понимаешь? Ты увидишь то, что хотела нарисовать, сможешь всё это разукрасить. А ещё ты сможешь понять, почему тебе так нравилось рисование.

Лайла озадачилась. Она и так знала, почему ей нравилось рисовать в детстве — потому что так свободно двигалась её рука над бумагой. В такие моменты она чувствовала себя неподвластной другим силам. Несмотря на то, что она никогда не видела существ, порождённых её воображением, она чувствовала свою мощь и потенциал, будто бы в ней было нечто неподражаемое и определённое. Лайле каким-то образом удавалось изобрести *нечто* из ничего, пускай она и не могла этого увидеть.

Отец продолжил говорить:

— И ты сможешь увидеть меня, твоего друга Пэт...

— Его зовут Хэнк.

— Твоего друга Хэнка. Ты сможешь увидеть пищу, которую ешь. Разве это не прекрасно?

Он всё время это говорил, но на этот раз в его голосе слышалось отчаяние.

— Я покажу тебе фотографии мамы. Ты её никогда не видела, а она была очень красива. Вот увидишь, ты так на неё похожа! Всё будет хорошо, обещаю.

Она кивнула. Она была счастлива стать наконец частью зрячего мира.

***

За два дня до того, как попрощаться со своими прежними глазами, она услышала, как на улице с шумом захлопнулась дверь машины. Лайла прижалась лицом к окну своей комнаты и прислушалась.

— Привет, Лайла! Лайла, я здесь.

Хэнк догадался, что её отца опять нет дома, несмотря на поздний час. Лайла спустилась по лестнице, идя за тростью. Она открыла входную дверь и дождалась, пока Хэнк её обнимет. От него пахло озоном и резким мужским дезодорантом.

— Я принёс немного шоколадного... опиума. Не знаю, подумал, может, тебе захочется.

Лайла переживала, что Хэнк в неё влюбился, но идея накуриться мгновенно принесла ей облегчение.

— Ага. Да, заходи. Можем пойти в ванную и курить рядом с вытяжкой.

В ванной Хэнк объяснил ей, что смешивает опиум с травкой и разминает смесь о края трубки. Она услышала щелчок зажигалки и то, как Хэнк глубоко затянулся. Лайла улыбнулась, когда он поднёс трубку к её губам. Она представила, каково это видеть то, что люди обычно видят под кайфом. Облака и разные фигуры? Возможно.

— Давай порисуем? — предложила она Хэнку.

Он коснулся её плеча и рассмеялся. Он всегда вёл себя беззаботно накурившись.

— Что? О чём это ты? — он опять засмеялся.

— Давай порисуем! На бумаге — карандашами, фломастерами. Я хочу рисовать.

Лайла ухватилась за руку Хэнка, чтобы удержать равновесие. Её обдало холодным воздухом, который заструился под мочками ушей. Земля под её ногами задрожала, но трепет сердца, пульсировавший в бицепсе Хэнка, за который она держалась, был ещё сильнее. Она чувствовала себя прекрасной и дивной звездой. Вновь обретя уверенность, Лайла повернулась к Хэнку и ухватилась за его плечи. Он с радостью коснулся её губ.

— Хочешь порисовать? — спросил он.

— Потом. Можешь... — она почувствовала, как руки Хэнка бережно взяли её за талию, — можешь отвести меня в мою комнату?

Она услышала, как он что-то пробормотал, а потом схватил её за запястье и повёл в комнату.

Лайла коснулась бедра Хэнка точно так же, как он вчера коснулся её. Она знала, что он боится, как и она, но его страх иного рода. Каждый раз, произнося её имя, он надеялся, что сможет произнести его верно. Он говорил так, будто её имя было священным и давно потерянным словом:

— Лайла...

Её имя вознеслось в воздух, о чём-то задумалось и пролилось обратно на землю. Она поняла, как Хэнк воспринимал её — как саму возможность, как шанс преобразить свою душу. Это была Лайла. И он считал её прекрасной.

— Ты не против? — расстегнув ремень, она поцеловала его.

Лайла стянула его трусы, и Хэнк задышал глубоко и часто, почувствовав её прикосновения. Там, внизу, его половой орган показался ей на ощупь бесформенным хаосом биологии. Казалось, он совершенно не к месту в её маленьких руках, слишком переполненный и непропорциональный, чтобы подчиниться её хватке. Она рассмеялась, пытаясь скрыть своё смущение. Она что-то тянула и сжимала, предположив, что так и надо. Волна недовольства образовалась где-то в области её живота и извиваясь устремилась к глазам. Она чувствовала принуждение: раз уж начала трогать его первой, должна пойти до конца. Движения её руки требовали продолжения, несмотря на дискомфорт, который Лайла испытывала. Она ускорилась. В конце концов Лайла поражённо охнула, когда Хэнк кончил.

Тяжело дыша, он прислонился головой к её голове.

— Кажется... Кажется, я люблю тебя, Лайла.

Она не нашлась, что ответить, но её мозг уже нежился в лучах эйфории. Та шипела и дёргалась, отсекая все остальные чувства Лайлы. Обрывки воспоминания об их первой с Хэнком встрече пробились рябью в её сознании. Когда Лайла закончила курс обучения на дому с репетитором, ей захотелось познакомиться с другими подростками, и она решила найти себе какую-нибудь простую работу на лето. Сначала папа был против, но сдался при условии, что Лайла запишется на программу общественной помощи, где, по его словам, она сможет «доказать свою способность жить и работать в обществе». Лайле эта затея не нравилась. Тем не менее она согласилась, понимая, что у отца начался очередной приступ гиперопеки, которая появилась у него после смерти жены — мама Лайлы погибла в аварии, когда та была ещё совсем малышкой, и она знала, что папа так и не оправился от этого до конца. Работа в общественной программе была одним-единственным условием, благодаря которому отцу Лайлы казалось, что ситуация попрежнему у него под контролем.

Будучи одним из волонтёров центра социальной работы, Хэнк был там с самого первого дня. Ему назначили тридцать часов общественных работ за хранение наркотиков. Они с Лайлой неплохо ладили, тихонько болтая про трипы и пьянки. В конце концов она решила купить у него 3,5 грамма марихуаны. Хэнк всегда вёл себя нервно рядом с Лайлой, но хотел с ней общаться. Сначала он снизил для неё цены, а потом просто стал предлагать ей покурить вместе. Со временем ему удалось раздобыть и другие вещества — опиум и кислоту. Лайла попробовала их в его присутствии. От опиума она тонула в омуте плотной жидкости, где её тело поразительно тонко чувствовало всё, что его окружает. Под кислотой ей виделись бесформенные точки и тени, которые переносили Лайлу в царство музыки её разума. Слепота — это безбрежная пучина воображения. Это затронуло в ней нечто прекрасное. Лайле было комфортно рядом с Хэнком, и она обожала вещества, которые он ей дарил, поэтому она не стала отвергать его знаки внимания.

Теперь она чувствовала, как жизнь за её глазами сходит на нет, испаряется из неё. Тело Лайлы онемело, а затем стало ещё чувствительнее. Несколько минут прошли в тишине. Тяжесть разума Лайлы вздымалась где-то у каёмки её сознания, после чего она очнулась.

Она почувствовала, что Хэнк ждёт, что она скажет, что тоже его любит, но Лайла промолчала. Он пододвинулся к ней ближе.

— Завтра я попробую раздобыть кое-что новое, — затараторил он. — Больше никакого шоколадного опиума. Вот увидишь, я попробую раздобыть для тебя кое-что получше.

Рот Лайлы был слегка приоткрыт, её губы дрогнули на вздохе. Она облизнула их и открыла глаза. Ни чёрного, ни белого, ни мечтательных видений. Ничего. Её слепые глаза ничего не видели.

— Хорошо.

— Ты ещё хочешь рисовать? Ты же хотела порисовать карандашами, фломастерами.

Она закрыла глаза.

— Нет. Может, после операции. Когда я смогу видеть.

***

Вечером накануне операции Лайла была одна — Хэнк так и не пришёл. Может, он забыл купить наркотики, и ему стыдно было приходить без них? Лайле хотелось узнать, какое вещество он собирался раздобыть. Ей было интересно всё и сразу. Может, наркотики — это не так плохо, как все думают. Некоторым они нужны, чтобы почувствовать себя настоящими. Некоторые люди нуждаются в том, чтобы почувствовать себя настоящими, больше, чем все остальные, и Лайла истосковалась по этому чувству. В самых печальных закромах своей души Лайла хотела не просто чувствовать себя реальной в мире, который движется вокруг с безумной скоростью, но и сделать этот мир менее реальным. Она хотела низвести его до тумана и стать бескрайним светом, которого невозможно будет избежать.

Она забралась в постель и поймала себя на мысли о том, каково это — убить себя? Если бы ей захотелось совершить суицид, она бы прибегла к чему-нибудь ужасному и показному, вроде перерезания вен ножом или выстрела в голову. Увидев её холодный труп на полу, папа бы расплакался, а Хэнк, возможно, разрыдался бы. Может, они бы тоже в итоге убили себя от горя. Она задумалась: стала бы её мама оплакивать смерть Лайлы так же, как папа или Хэнк? Может, ей было бы ещё тяжелее с этим справиться? Она улыбнулась, ведь её микроскопическое существование что-то значило для этих людей.

Она вздрогнула, услышав шум за окном. Ещё раз. Лайла встала с постели и открыла окно.

— Это Хэнк, — прошептал он снизу. — Спускайся.

— У меня завтра операция.

Она подняла палец вверх и прислушалась, спит ли папа.

— Мне нужно выспаться.

— Я знаю... знаю. Я кое-что принёс. Хочу, чтобы ты попробовала.

— Ладно.

В ушах Лайлы заклокотало от волнения. Волна жара прокатилась по её лицу.

— Подожди, — запнулась она, — сколько будет длиться действие? Я приду в себя к завтрашнему дню?

— Ага, конечно, — отозвался Хэнк.

Лайла тихонько спустилась и вышла на улицу.

— Я почитал в интернете про операцию, которую тебе завтра будут делать. Тебе не дадут никаких обезболивающих, кроме физраствора и парацетамола после операции. Ужас, да?

Лайла обдумала его слова. В день операции она должна была носить повязку на глазах и использовать физраствор только в случае крайней необходимости. Лайлу пугало то, насколько лёгким и беспроблемным казалось её лечение.

— В общем, я поговорил со знающими людьми и быстренько кое-что достал. У меня тут окси... оксикодон и ещё морфий в таблетках. Те, что с морфием — больше по размеру. Вот, потрогай. Я так понял, их можно размять и покурить. Будет классно.

Лайла позволила своему телу скользнуть в предвкушение всех возможностей, которые сулила эйфория. Ей хотелось курить, ей хотелось забыться и почувствовать себя невероятно настоящей. Ей хотелось, чтобы земля замедлила свой бег для неё. Не сказав ни слова, Лайла протянула Хэнку ладонь, чтобы он отдал ей таблетки.

Он начал было что-то говорить, но сдался. Хэнк мягко положил таблетки в её ладонь, и Лайла быстро спрятала их по карманам.

— Я... — Хэнк попытался что-то сказать, но снова осёкся.

Когда Лайла развернулась и пошла обратно в дом, Хэнк снова произнёс «я», явно желая провести с ней ещё немного времени.

Лайла остановилась в дверях и повернулась лицом туда, где стоял Хэнк.

— У меня завтра операция, Хэнк. Пожелай мне удачи. Скоро увидимся.

Она услышала, как шаги Хэнка направились обратно к машине. Она поднялась в свою комнату, засунула руки в карманы и нащупала фактуру таблеток. Хэнк дал ей таблетки пяти-шести разных размеров. Среди них было несколько капсул. Забравшись в постель, Лайла представила вечную эйфорию.

Она открыла глаза, потом закрыла их. Открыла глаза, закрыла. Открыла глаза. Ничего, пока ещё ничего. Но нечто уже пламенело внутри неё. Изнутри её веки зачесались от кипучей злости, её рот наполнился гневом, но Лайла не понимала, почему. Представив нервный голос Хэнка, Лайла зарылась лицом в подушку и закричала. Он был в её власти. Лайла закусила подушку. Он готов был выполнить любое её желание, дать ей что угодно, лишь бы она ответила на его чувства. А ей хотелось всего. Скоро она увидит его отчаянное лицо. Как он выглядит, когда бормочет свои нервные «я». Вцепившись ногтями в руки, Лайла почувствовала укол совести из-за того, в каком восторге от этого пребывала. Она почувствовала пульсирующее тепло между ног. Она становилась злой и ещё более опустошённой.

Следующие десять часов она провела в полушаге от сна. Будильник Лайлы зазвонил в 9.30, и вскоре отец отвёз её в больницу.

***

В наваристом соке сна из её глаз потекли цветы. Лепестки опадали на её щёки. Из её рта струйкой стекала кровь. Она с хлюпаньем втянула её обратно, пробуя на вкус её металлическое тепло. Лайла подняла руки и рухнула. Нет, это не падение. Её тащило сквозь время и пространство, как червяка на крючке. Вокруг неё плескалась вечность. Где-то в её груди раздался стук скучающего и раздосадованного любовью сердца. Голос Хэнка истончился и открылся навстречу таинственному звону: «Кажется, я люблю тебя, Лайла». Её тело падало вниз по спирали, размякнув от ощущения неизбежно приближающейся гибели. Медленные струйки горячего воздуха со стуком вгрызались в её кожу, пытаясь пробраться внутрь.

Там, где раньше были её глаза, висела вибрация. Должно быть, их достали, вставили новые, работающие, и дали им погрузиться в новый дом. Её глазницы удерживали тяжесть где-то в глубине её лица. Лайла застонала. Сны распластались по её коже, словно одеяло из патоки. Спустя несколько часов, когда марлю и вату сняли, небывалый свет зарылся в её разум, и Лайла проснулась. Врачи о чём-то радостно перешёптывались.

— Что ты видишь? Лайла, ты видишь?

Ничего и всё. Всё и ничего.

— Она видит? — прогремел голос отца.

Она снова открыла глаза. Ничего и всё. Всё, но это казалось ничем, всё казалось таким же, как раньше.

Лайле хотелось, чтобы кровь как можно скорее разнесла оксикодон и морфий по её телу, ей хотелось спать. Ей хотелось, чтобы Хэнк поцеловал её, заставив дрожать. Её тело растворилось в кататонии, не запомнив ни мгновения сна.

***

Когда действие анестезии прошло, она ещё раз открыла глаза.

— Откинься назад, Лайла. Закрой глаза на секунду, — сказал врач.

Её лицо онемело.

— Нам нужно закапать тебе глаза. Сначала всё может казаться немного размытым, но... — оборвавшись, его голос удалился на задний план.

Сквозь маленький прищур Лайла увидела разлив сияющего света, устремившийся к ней. Врач попросил её запрокинуть голову. Капли физраствора медленно закатились в её глаза, которые врач пальцами в перчатках удерживал открытыми. Затем он попросил её сесть прямо.

— Готова?

В полном ужасе она прошептала:

— Да, — и медленно подняла веки, которые всю жизнь плотно занавешивали её пустые яблоки.

Неразборчивые образы и фигуры, самопроизвольно формирующиеся кляксы, мерцающие тени и переливы света обрушились на её глаза. Она услышала голос отца, который плакал от счастья, но не могла разобрать, от которой из фигур доносился его голос. Она повернулась на звук, но увидела лишь силуэты и неразличимые обрывки чего-то незнакомого.

— Лайла, ты видишь? Ну же! Ты видишь, малышка? — со слезами в голосе спросил папа.

— Кажется, да. Я вижу... что-то.

Лайла чувствовала себя так, будто происходило нечто ужасное. Весь мир бился в её глаза, заплывая в них, подобно голодному монстру. Где-то глубоко в ушах Лайлы жила способность создавать целую Вселенную из ничего, и вот реальность явилась перед ней. Она струилась из неизвестности и непостижимо разворачивалась перед ней. Она услышала, как голос врача зовёт её откуда-то спереди, но была не в силах разобрать, которой из фигур он принадлежал.

— Лайла, можешь сказать, сколько пальцев я показываю?

Образы с треском ворвались в её младенческое зрение. Они были длинными и не такими яркими, как те, что темнее, но по-прежнему неотличимыми от всего остального.

— Я... Я не понимаю, что происходит, — Лайла начала тихо и тяжело всхлипывать, сотрясаясь от рыданий всем телом.

— Милая, ты видишь, — рука отца коснулась её лица. — Ты можешь видеть, Лайла. Теперь ты знаешь, как это. Вот чего ты была лишена. Теперь тебе просто нужно *научиться* видеть.

— У тебя уйдёт несколько недель на привыкание, — вмешался голос врача. — Но всё будет. Потерпи и не переживай.

Она почувствовала, как её грудь электризовалась раскатами злости. Его голос звучал так уверенно. Она хотела научиться видеть, но всё происходило слишком быстро, слишком грандиозно. Казалось, мир засасывает её, проглатывает её целиком. От неё ничего не осталось — падение, нескончаемое падение. Её слёзы тихо катились по щекам.

Дорога домой была разукрашена множеством лихорадочных образов, залита ещё большим светом и очерчена ещё большими тенями. Прислонившись лбом к холодному окну, она попыталась во всём разобраться. Все эти разные оттенки — это цвета? Одни цвета шокировали, другие казались непримечательными и быстро уносились вдаль.

— Лайла, тебе нужно ещё неделю носить защитные очки. Врач так сказал.

Отец постучал пальцами по рулю. Она проигнорировала его слова, впитывая мир своими глазами. С её пространственным зрением что-то было не так. Она не понимала разницы между тем, что было вблизи и вдали.

— Лайла!

Она надела очки, закрыла глаза и прикоснулась к сиденью под ней. Это казалось более естественным. Так она могла определить, что есть что. В мире зрения она не могла отличить одну вещь от другой. Перед ней появлялись линии, формы и цвета, но как соединить их в настоящие образы? Лайле сказали, что она научится этому со временем, но её всё раздражало.

Она до боли ущипнула себя за руку. Её ногти впились в кожу, но Лайла не остановилась. Боль отразилась в её предплечье и бицепсе. Она представила: если её кожа порвётся, из неё потечёт красная кровь.

Когда они наконец добрались до дома, Лайла попросила отца подвести её к зеркалу. Она нащупала его руки и приготовилась. Оказавшись перед зеркалом в ванной, Лайла открыла глаза. Кончики её пальцев погладили стекло — холодное и невидимое. Ей почти удалось различить увиденные образы. Ей показалось, будто она заглядывает в нечто более глубокое, чем реальность, словно бы её продолжение.

— Пап, я знаю, что это смешно. Знаю, но можешь показать мне, где начинается и заканчивается моё тело? Я хочу посмотреть.

— Лайла, не драматизируй, — он ненадолго замолчал. — Врач сказал, что твоё зрение наладится со временем. Ты *здесь*, разве не видишь?

Лайла почувствовала, как руки отца мягко схватили её за плечи, и разобрала в размытом пятне его указательный палец. Она взглянула ещё раз. Какая-то фигура стремилась ввысь. Это её тело. Это жизнь, которой она была наделена во Вселенной движущихся и мельтешащих частиц. Вот это сочетание составляло жизнь, и этого было достаточно, чтобы породить восприятие и отличить действие. Лайла потрогала свою руку. Она прикоснулась к коже под глазами и надавила на скулы. Это Лайла. Это центр существования — хаос форм и цветов.

— Вот видишь! Потрясающе, правда? Это ты. Ты... Ты красивая, как твоя мама.

Он едва сдержал слёзы.

— Перестань, пожалуйста, сравнивать меня с мамой. Можешь... просто любить меня такой, какая я есть?

— Милая, о чём это ты? Я люблю тебя. Я работаю допоздна *каждый день*, чтобы оплатить *тебе* дорогую операцию.

— Это ты хотел, чтобы мне сделали операцию! И это было *ошибкой*!

Она закрыла глаза, надела защитные очки и побежала в свою комнату. Она услышала, как папа спустился на первый этаж, а затем включился телевизор. Она нашла штаны, в которых была вечером накануне, и нащупала в карманах оксикодон и таблетки морфина. Тихонько всхлипывая, она раскрошила все таблетки по одной. Пока её зрение застилала тьма, нашла трубку в ящике стола. Затем открыла окно и закурила. Слёзы обжигали её глаза. Она перебралась на кровать и позволила едва заметному зудящему ощущению прокатиться по её новым глазам. Вскоре движение времени замедлилось и застыло, оставаясь невероятно занимательным и происходящим повсеместно. Лайла почувствовала, как её душа увяла до бескровной косточки сгнившего фрукта. Она была пылью, которую легко разнести по миру. Цвета влетали в неё и вылетали наружу. Чувства пролились ливнем. Её глаза высохли. На кончике её языка поселилась любовь, и Лайла проглотила её. Она радостно рассмеялась, когда эйфория стала сильнее.

***

Через неделю после операции врач снял с Лайлы защитные очки.

— Как ты себя чувствуешь? — услышала она его голос, медленно открывая глаза.

— Я не понимаю, как это — видеть, — ответила Лайла, крутя на пальце прядь волос.

Она не хотела подводить отца.

— Но я обязательно научусь. Мне просто нужно привыкнуть.

— Именно, — отозвался врач. — Так часто бывает у пациентов, которым восстановили зрение. Тебе нужно немного времени.

Образы по-прежнему казались ей какой-то бессмыслицей. Она видела формы и цвета, но они были лишены значения. Оказавшись в своей комнате, Лайла разглядывала себя в новое зеркало, едва дыша. Она ткнула пальцем в свою кожу — вот какая она снаружи!

Но внутри Лайла была безжизненной ночью, нетронутой зелёным сиянием или взрывающимися звёздами. На востоке её воображаемого мира не было восходящего солнца, лишь мёртвый шар праха, и ничего не менялось. В зрении было что-то от смерти: видеть, быть видимой — это умалять и быть умалённой. Смерть во всех постулатах жизни. Замёрзнув, она свернулась калачиком на полу у зеркала.

Возможно, она узнает, что значит видеть. Когда-нибудь.

***

Через две недели на пороге появился Хэнк, пока её отец снова работал допоздна.

— Прости, что не пришёл сразу после операции. Я был занят... Искал вот это. Пришлось постараться. Не хотел приходить с пустыми руками.

Он держал листы бумаги и карандаши в руках. Лайла изучила подарок на ощупь. Она нашла маленький пакетик кокаина на дне коробки с карандашами.

— Как ты себя чувствуешь? У тебя... У тебя закрыты глаза. Ты что, не видишь?

Она посмотрела на его лицо. Оно было размытым, но Лайла попыталась сфокусироваться и не дать ему слиться с фоном.

— Я в порядке. Мне просто нравится закрывать глаза, потому что я так привыкла. Всё нормально, не спрашивай. Но я с тобой порисую. Заходи.

Она задумалась о Боге и о том, зачем он творит жизнь на земле, если всё всегда заканчивается или смертью, или скукой. Её кисти тяжело оттягивали руки вниз. Она стиснула зубы.

Лист бумаги лежал перед ней на столе в её комнате, и Лайла попыталась что-то нарисовать, но всё казалось каким-то далёким. Сочетание цветов не было красивым. Она раздражённо отбросила карандаш.

— Лайла, я хочу, чтобы тебе было хорошо, знай это. Я хочу, чтобы ты была счастлива. Я хочу...

Хэнк взял её руки в свои и провёл ими по своему бедру, удерживая их там, чтобы привлечь её внимание.

— В чём дело? В наркотиках? Я раздобуду тебе наркотики получше. Обещаю. Во мне? Кажется, тогда, до операции, я поторопился и сказал кое-что слишком рано... Кажется, я всё испортил или вроде того, сказав то, что сказал. Вот почему я ушёл. Не знаю... Между нами всё в порядке?

Лайла смотрела в пустоту.

Ей нравилось, как Хэнк держал её за руки — это был жест глубочайшей грусти. Хэнк любил её, он был в её власти. Это позволило ей почувствовать себя настоящей.

Она сжала руки Хэнка.

— Да. Да, я счастлива с тобой. Я не очень разбираюсь в любви.

Мой папа так и не нашёл себе никого после смерти моей мамы, я тогда была слишком маленькой и ничего не помню. Передо мной никогда не было примера любви, примера того, какой она должна быть. Я не могу сказать, что люблю тебя, но мне кажется, что ты по-настоящему видишь меня. И я очень хочу заняться этим — она взяла в руку пакетик кокаина — только с тобой.

Хэнк поцеловал её в губы впервые за несколько недель и задержался у её лица. Он потянул воздух сквозь уголки её губ, и Лайла ощутила его пыл и страх.

Они вдохнули кокаин, и мозг Лайлы обдало молниеносной жизнерадостностью. Кровь забилась в венах на её лбу, в ушах завизжало пламя. Размытые очертания карандашей и бумаги. Она подумала о том, чтобы нарисовать лодку в море — да, да, лодку, которая плывёт к самому далёкому из островов, где небо, как рана, истекает бесконечным красным, чудовищные облака всасывают и выплёвывают солнечный яд, а в глубинах приливного мусора извиваются гармонии. Карандаши задрожали в её руках, и Лайла выронила их.

Истерично хохоча, она коснулась шеи Хэнка.

— Я чувствую себя такой настоящей. Боже, это невероятно!

Она поцеловала его, затащила в кровать и уселась на Хэнка сверху. В её голове рычали автострады и лучились цвета, сверля её зрачки неистовой страстью. Желание сотрясало её губы и ресницы, щекоча кончик каждого нерва и уплывая вдаль, чтобы вернуться. Её переполняла страсть, она бурлила и искрилась. Так это и есть зрение? Нет, не совсем. Но Лайла впервые различила Хэнка с такой ясностью. Она задумалась об этом. Хочет ли она оборвать своё существование на земле в это самое мгновение? Нет, не сейчас, она не хочет умереть. Она хочет возвыситься над жизнью. Она посмотрела на Хэнка. Какое маленькое и слабое существо! Всего лишь пятно цветов и форм, но всё же она понимала его лучше, чем кого-либо или что-либо другое. Она провела ногтями по его груди вниз до ремня и вдавила пряжку в живот Хэнка. Тогда она почувствовала, как нечто маслянистое и склизкое вздымается у неё внутри. Лайла резко отвернулась, и её стошнило желчью мутно-красного оттенка.

Она сделала вдох и закашлялась. Открыв глаза, она увидела свою рвоту и руки, а затем подняла взгляд на зеркало, стоявшее у стены. Понимание вновь ускользнуло от неё. Её фигура напоминала скорее животное, чем человека.

Пронзительный звон взвился внутри неё, ударив в голову. Он нарастал, нагнетая страх, который ворочался у Лайлы в животе. Рвота опять подступила к её горлу и обожгла его, выплеснувшись изо рта на ковёр. Она почувствовала, как пальцы Хэнка схватили её за плечи, но его голос было не разобрать в мучительном грохоте.

Почему она не видит *по-настоящему*? Что с её мозгом не так? Она что, сходит с ума? Лайла опустила веки и легла. Голос Хэнка просочился сквозь помехи её шумных мыслей, свет замерцал, а потому наступила тьма.

* * *

Через два месяца после замены глаз Лайла сидела, безвольно опустив руки. Её сердце замедлилось под действием оксикодона, который Хэнк принёс ей несколько недель назад. Он пробормотал что-то про падение с кровати. Свет в комнате потускнел, а потом вновь засиял с прежней силой. Хоть он и казался Лайле оглушительным на протяжении последних недель, зрение стало привычнее. Образы стали складываться в нечто более вразумительное. Цвета просто было различать.

И хотя слепота позволяла ей видеть больше, Лайла знала, что ей придётся провести остаток жизни с тем, что есть. Ей было предначертано вечно вставать со своей несвежей постели, идти в ванную, смотреть в зеркало и не понимать, что то, что Лайла видит, и есть она. В зеркале отражались резкие линии и невозможные цвета. Это Лайла. Это Лайла. Она коснулась лица. Дёрнула прядь волос. *Это Лайла*.

Задумавшись, она могла вспомнить голос отца, но не лицо. В последнее время он говорил с ней лишь о воспоминаниях.

— Твоей маме очень нравился этот садик, — сказал он как-то, глядя на задний двор их дома.

Лайла с гордостью различила качели и большое дерево справа от них, но не без налёта разочарования. Ей всегда будет непросто связать эти незамысловатые места с теми, что жили в её воспоминаниях.

— Ей всегда нравилось заниматься растениями у террасы, — продолжил он. — Может, ты попробуешь продолжить её дело, Лайла?

Лайла кивнула и что-то пробурчала в ответ. Иногда она просто молчала на подобные замечания. Она знала, что отец питал слишком большие надежды на её счёт — она никогда не станет женщиной, которую он любил, и не превратится снова в малышку, которую любила её мать. Тем не менее отец Лайлы, кажется, верил, что в ней есть нечто большее. Она говорила себе, что отец верит в неё, что он её любит.

— Ненавижу, — прошептала она себе под нос, сидя рядом с Хэнком. — Ненавижу... ненавижу!

Она повторяла это всё громче и громче. Из её глаз лились слёзы.

— Ненавижу... — сказала она ещё раз.

Лайла ударила себя по ногам. Она подняла руки, отдалась воле своей тоски и ударила себя ещё раз.

Хэнк недоумевая сел на кровати.

— Не могу, — Лайла закрыла лицо руками. — Я не хочу видеть. Я больше не хочу ничего видеть!

***

Через несколько часов она вышла из своей комнаты, направилась к двери комнаты отца в ночной тишине и прислушалась к его храпу. Когда они в последний раз виделись дольше десяти минут? Лайла проводила всё своё время, закрывшись в комнате с Хэнком, под воздействием того или иного наркотика. Тем не менее ей хотелось чаще видеть отца, которому теперь приходилось ещё больше работать, чтобы оплатить долги за операцию. Ручка двери была прохладной и приятной на ощупь, но Лайла не стала её поворачивать. Она ухмыльнулась вспомнив, как отцу хотелось, чтобы она начала видеть. Теперь она видела, но разве оно того стоило? Может, было бы лучше, если бы его мечта так и не осуществилась и операции бы не было?

Крепко зажмурившись, Лайла пошла, пытаясь вспомнить, какой была её жизнь до операции. Её руки пылали и дрожали, чувствуя тягу кокаина, который она вдохнула пару минут назад. Её ноги, руки и пальцы онемели от воздействия кокаина, смешавшегося с оксикодоном, который она приняла чуть раньше. Слепо двигаясь по коридору, она почувствовала ритм своего тела. Лайла кружилась из стороны в сторону, словно прекрасный маятник. Коридор казался длиннее, чем раньше. Лайла почувствовала, как она меняется и становится больше в движении.

Это любовь, это Лайла, а в зрении есть что-то от смерти.

Она улыбнулась, представив себя великолепной и красивой звездой, как раньше. Отец думал, что зрение поможет ей стать уверенней в себе. Возможно, Хэнку тоже так казалось. Вращаясь вокруг этого удивительного факта, она рассмеялась и схватилась за стену. Остановившись, Лайла вспомнила, что раньше она была счастливее. Она знала, что слепота — это не какое-то проклятие, которое было с ней с детства, хотя отец убедил её именно в этом.

Гром ревел и рокотал о стенки её сердца. Её дыхание ускорилось и сбилось с ритма. Лайла облизала губы, и вся её жизнь разлетелась вокруг брызгами, словно водопад. Она прислушалась: шум редких проезжающих машин и шуршащих еловых веток усилился в её ушах. Жжение задержалось где-то в глубине её горла. Лайлу придавило ощущениями. Пошатнувшись, она обхватила себя руками.

«Интересно, мама когда-нибудь пробовала кокаин? Была ли она под ним, когда произошла та авария? Она когда-нибудь чувствовала себя настолько живой, хотя бы на мгновение, даже если это было мгновение перед самой смертью?»

Увидев её фото, которые папа обещал показать, Лайла была разочарована — её мама выглядела как все остальные.

Когда кровь прилила к затылку, Лайла дёрнула себя за волосы. Она достигла божественной точки кипения и, зная это, отдалась эйфории, позволив зною обжечь её глаза изнутри. Когда Лайла их открыла, коридор завертелся вихрем калейдоскопа и устремился к ней. Дверь комнаты отца исчезла.

Лайла не хотела ничего из этого. Всё было решено за неё, и мир с самого начала был уродлив. «*Никто не должен быть рабом*», — решила она, когда тени уплотнились вокруг неё. *Это Лайла.*

Она нашла на кухне два ножа. Это был единственный выход. Она знала, что никогда не сможет вернуть свою былую невинность, но всё ещё можно было исправить. Умерев, она станет свободной. Но так умереть не удастся. Если она закричит, папа проснётся и увезёт её в больницу. Там её спасут. Её уже пытались спасти при помощи операции, но ничего не вышло. В этот раз всё будет иначе. Они обнаружат в её крови наркотики и откачают Лайлу. Её глаза оставят на месте, будто бы они были там с самого начала.

Лайла не могла сдержать улыбки, наконец почувствовав себя невредимой. Больше ей не придётся прибегать к наркотикам, ведь у неё будет её старое тело, то, что лучше — слепое. Само собой, ей было ужасно страшно, но это значило, что она жива. Она действительно существовала где-то в своей голове. Взяв по ножу в каждую руку, она прислонилась к кухонной стойке. Горячая кровь снова опалила ей вены, выстрелив в пальцы рук и закипев в ногах. Закрыв глаза, Лайла подняла руки и наставила лезвия на хрусталики глаз.

Не услышав своего крика, она рухнула. Свет и цвета больше не существовали, едва проносясь сквозь её разум воспоминаниями. Они вылетали эхом из её головы, забывались, становясь всё меньше и сводясь в ничто. Будто бы их никогда и не было. Падение, падение, падение, нескончаемое падение, всё было как раньше. «*Лайла, это Лайла*» — пульсировало с каждой вспышкой агонии. Жестокая реальность канула в ничто: её боль поглотила весь мир.

Перевод Алёны Кондратьевой
Translated by Alyona Kondratyeva

Прелестная Сьюзан

Лаура Л. Петерсен

Она бежала среди высоких цветов. Каменистая земля впивалась в ступни, но она продолжала бежать. Солнце грело плечи, а прекрасные светлые волосы развевались сзади, вздымаясь, словно окружавшая её зелень, на ветру. Она бежала, несмотря на усталость. Её лёгкие наполнил аромат цветов — воздушный, пышный и тёплый. Она залилась смехом задыхаясь и откинула голову назад. За нею раздался шум.

Он тащился за ней с киркой в руке. Прелестные рудбекии, которые тут называли «черноглазыми Сьюзан», вымахали настолько, что доставали ему до бедра, но вместо того, чтобы обогнуть стебельки, он пошёл прямо по ним, приминая и давя цветы, словно птенцов, выпавших из гнёзд. Он топтал растение за растением, будто им не нужна была жизнь, будто жизни и так слишком много, и она сбегает у него на глазах.

Она споткнулась. Когда приземлилась на руки и колени, её захлестнуло ароматом растоптанных цветов. Запах заполнил её нос и устремился к горлу, вцепившись в него удушающей хваткой. Закашлялась и, когда ей наконец удалось отдышаться, он был уже близко. Она рассмеялась и встала на колени.

— Если не побежишь, так и не поймаешь меня, — закричала она.

Она вскочила на ноги, а её хохот снова задребезжал среди рудбекий.

Когда она упала, его сердце чуть не выпрыгнуло из груди, словно рыба из сети. Бежать было тяжело — всё было тяжёлым, он сам был тяжёлым. Его железобетонно-крепкие кости тянули к земле. Нет, сегодня ему не до бега. Все поверхности отсвечивали солнцем: жёлтые цветы с чёрными серединками, их зелёные стебли, её блестящие волосы, голубое небо — всё это резало ему глаза и впечатывало мозг в череп. Вдруг он вытечет? Кирка стала тростью, и он остановился, опираясь на неё.

Она одёрнула платье, и оно скрыло колени. Мама скоро позовёт её ужинать. Осталось недолго играть в догонялки с этим мужчиной. Она вспомнила было, что ей положено его бояться: мама учила её остерегаться незнакомцев, но уверенность наполняла её лёгкие и гудела в ногах, ведь, как и любой ребёнок девяти-десяти лет, она могла запросто обогнать любого взрослого.

Он закинул кирку себе на плечи, словно Поль Баньян — гигантский дровосек из местных сказок. Пёстрое поле и сверкающая девчонка бушевали на внутренней стороне его век. Она была в каких-то сорока метрах от него, не дальше. Если бы только вынести тяжесть всего этого света, он смог бы поймать её и оставить себе. Оставить себе, обучить.

Как только он остановился и опёрся на кирку, она решила, что победила. Хоть ей и нужно было лишь обогнуть его сзади, чтобы добраться до дома, она не сомневалась, что ему её не поймать. Все знали, что она быстро бегает. Быстрее всех остальных в своём классе и тех, кто учился в старших классах. Даже *мальчишкам* было за ней не угнаться.

— Я выиграла!

Она засмеялась над взрослым, который за ней не поспевал, но осеклась.

Её насмешка его только раззадорила и придала сил. Теперь он мог без труда до неё добраться. Ветер усилился, принеся свежесть, распластавшуюся по его лицу. Облегчение. Теперь он мог справиться с задачей. Он вытер лоб свободной рукой, по-прежнему удерживая кирку на плече. Он мог закончить начатое и приступить к следующему делу.

Мама звала её вторым именем (по семейной традиции), хотя ей больше нравилось первое. Если его сократить, оно звучало так же, как название её любимых цветов, которые росли на лугу недалеко от дома. Кроме того, «Сьюзан» было проще писать, и вообще это имя намного больше ей подходило, чем Сюзанна Офелия. Она обернулась и увидела, как незнакомец несётся к ней огромными шагами, давя её любимые рудбекии — «черноглазые Сьюзан».

Ей не удастся от него убежать в отличие от остальных. Если она упадёт ещё раз, он её нагонит. Вторую такую возможность он не упустит. Он ступал размашисто, убивая цветы, насекомых, червей, и вдавливая их в почву. Он решительно приближался.

Она побежала. И бежала со всех ног, так быстро, как только могла. Она направилась прочь от поля к грунтовой дороге, которая вела к дому МакАллистеров. Старик МакАллистер был хорошим человеком, а сладостей у него было не меньше, чем щедрости. Он бы ни за что не навредил ребёнку. Мама Сьюзан разрешала ей ходить в гости к МакАллистеру за сладостями при условии, что она не станет брать слишком много. Во-первых, это невежливо, а во-вторых, может перебить аппетит. Вообще, мама это разрешала только потому, что мистер МакАллистер ходил в ту же церковь, что и они. Он был дьяконом или кем-то вроде этого.

Незнакомец остановился на краю поля, где начиналась дорога, и обернулся посмотреть на проделанный им путь — борозду примятых и оборванных головок черноглазых рудбекий. Он поднял лицо к небу и вдохнул аромат тысяч цветов, расплывшийся по ветру. Ступив на дорогу, он повернулся к дому МакАллистеров.

Она поскользнулась на гравии и улетела вперёд. По дороге нужно было бежать по-другому, не так, как в поле. Быстрее, но это не так весело. Она разогналась.

Кирка теперь казалась ещё тяжелее. От жары пот проступил на его рубашке. Когда он вышел на дорогу, гравий заскрежетал под его ногами, будто множество маленьких косточек перемалывали в муку.

Сьюзан уже видела дом в конце дороги. Он парил над землёй на волнах зноя. Краем глаза она заметила, что он тоже бежал быстрее по гравию. Придётся бежать как те девушки на Олимпийских играх, которых она видела по телевизору, если она хочет первой добежать до дома и спрятаться в нём.

Он перекинул кирку и взгромоздил её себе на оба плеча. Теперь можно было опереться на неё руками и пригнуться ниже к земле. Он ускорился.

Сьюзан споткнулась, но устояла на ногах. Теперь она оглядывалась каждые несколько секунд, испугавшись, что он схватит её до того, как она добежит до двери. Ей нужно было добежать до двери. Дверь. Добежать до двери. Оглянуться на мужчину. Добежать до двери. Её горло жгло.

Его ступни врезались в дорогу. Он чувствовал себя намного увереннее на гравии. Больше никакие цветы не пытались опутать его ноги. Осталось совсем чуть-чуть. Его живот взбудоражено скрутило от предвкушения.

Сьюзан запыхалась и попыталась отдышаться. Она ещё никогда не бегала так долго и так далеко. Но она знала, что у неё получится. Дом уже совсем рядом. Машины старика МакАллистера не было на подъездной дорожке, но это ещё ничего не значило. Его жена часто ездила на ней за сладостями. Может, именно этим она сейчас и занята. Она снова обернулась. Нужно перестать это делать. Это слишком страшно, это её замедляет.

Он уже слышал её, как она дышит неровно и часто. Она уже выдохлась, а он только разогнался. Она остановилась, чтобы на него посмотреть. Зря. Он с удовольствием отметил нерешительность, отразившуюся на её лице. Она всем своим видом задавала один лишь вопрос, на который ему не терпелось ответить: «Зачем ты меня пугаешь?»

Иногда старик МакАллистер уезжал с женой, чтобы помочь ей выбрать сладости. Обычно в такие дни Сьюзан разворачивалась и ехала обратно домой на своём велосипеде. Жаль, что сегодня она была без велосипеда. Так бы незнакомец её ни за что не поймал, и вообще, она бы уже была дома и пила бы из садового шланга тёплую воду, которая пахнет резиной, но *такая вкусная*. Только бы мистер МакАллистер был дома, пожалуйста!

Её синее платьице сверкало на солнце. Такое чистое, такое мягкое

— он без труда представил его в мельчайших деталях. Солнце выжигало красные кружки на внутренней стороне его глаз. Он мог идти вечно. Столько, сколько нужно, чтобы её догнать, а потом ещё очень и очень долго.

На веранде было пусто. Теперь Сьюзан была уверена, что дома никого не было. Она всё равно попробовала толкнуть дверь, взбежав к ней по ступенькам.

Он наблюдал, как она тщетно пытается открыть дверь. Сьюзан потянула за ручку, откинувшись как можно дальше назад. Он остановился у нижней ступеньки, глядя на неё.

Сьюзан повернулась. Пульс стучал в её ушах, громыхая разогнавшейся кровью.

Он свесил кирку с плеч и прислонил её к веранде. Она была прекрасна. Её светлые волосы растрепались от бега, а щёки пылали жаром. Она стояла лицом к нему.

Вблизи он казался не таким уж и страшным, особенно без кирки. Он был похож на её отца. У него были густые тёмные волосы, а на лице расползалась улыбка. Наверное, у него самого была дочка вроде неё. Может, он по ошибке принял за неё Сьюзан, вот и побежал за ней, чтобы поймать и отругать за то, что она от него убежала. Сьюзан сделала шаг вперёд.

О! Неужели она идёт к нему? Ну надо же!

Она стояла на цыпочках на краю веранды, наконец отдышавшись. Может, он знает мистера МакАллистера. Может, он шёл к нему в гости.

— Офелия?

Её смелость смутила и восхитила его. Она должна быть от него в ужасе. Но всё было не так.

— Откуда ты знаешь моё второе имя? Его никто не знает.

Он двинулся к ней.

— Ты видел моего папу? Он высокий и крепкий и может тебя побить.

Он улыбнулся и сделал ещё один шаг вперёд. Детям их родители кажутся настоящими великанами. Он тоже когда-то был отцом.

Она отошла вглубь веранды. Он был слишком близко. Она огляделась в поиске путей отступления и укрытия.

Он наблюдал, как она пятится. Какая хрупкая и изящная, словно фарфоровая куколка с маленькими ножками и ручками! Он снова шагнул к ней.

Она заметила, что в перилах веранды справа от двери не хватало нескольких перекладин.

— А вот и мой папа, — сказала она, вскинув подбородок и указывая куда-то в сторону поля.

Зная, что это уловка, он притворился, будто повёлся на неё. Он обернулся так неспешно, будто у него было всё время на свете. Когда он снова повернулся к двери, Сьюзан там уже не было. Он поднялся на последнюю ступеньку и шагнул на веранду.

Сьюзан протиснулась сквозь перила и спрыгнула на землю. Опасаясь, что он её схватит, если побежать обратно к подъездной дорожке, Сьюзан ринулась к сараю за домом. Ей удалось отдышаться, но теперь её мучили жажда и страх. Она знала, что он был плохим человеком, потому что он не сказал, что знаком с её отцом, и при этом продолжил к ней приближаться. От того, что он оставил кирку рядом со ступеньками, спокойнее ей не стало. Она представила, как он снова закинул её себе на плечи и направляется к ней.

Он подошёл к двери и подёргал за ручку. Обычно местные оставляют двери открытыми. Так было и сейчас, так что он беспрепятственно вошёл в дом. Его грудь обдало прохладой. Он последовал за сильным сквозняком на кухню. Она была маленькой и незамысловатой, но в холодильнике было полно сладкого холодного чая и ледяной воды.

В этот раз она не стала оборачиваться, а просто бежала со всех ног. Сарай стоял где-то в двухстах метрах от дома. Она неслась над землёй, петляя и перепрыгивая через сельскохозяйственный инвентарь и садовые инструменты. Потоки воздуха, быстро проносившиеся мимо, остудили её пот, но этого было мало. Она плакала на бегу, отчего дышать было ещё сложнее.

Он жадно пил чай из пластмассового кувшина. Капли стекали по его подбородку, образуя лужицу на полу. Он достал из холодильника стеклянный кувшин с ледяной водой и облился ею с головы до ног. Вода пролилась водопадом по его комбинезону и рабочим ботинкам. Как же хорошо! Это своего рода возрождение.

Она добежала до сарая и забралась по лестнице на сеновал. Она бывала тут и раньше. С подружками Марго и Элани частенько залезала сюда со сладостями от мистера МакАллистера, тут они играли. В сарае обнадеживающе сладко пахло тёплым сеном, коровьим молоком и сухими деревянными балками, на которых всё держалось. Она бросилась к россыпи сена и легла, пытаясь отдышаться и глядя на заднюю дверь дома — вдруг он снова появится?

Жаль, что у него так мало времени. Ему нравилось трогать чужие вещи, чем он часто промышлял при случае. Когда ему было жарко, хотелось пить или есть, он обычно находил дома, рядом с которыми не были припаркованы машины, заходил в них и отдыхал, пил или готовил себе сэндвичи. Он не оставлял никаких следов своего присутствия. Несколько раз хозяева заставали его врасплох, неожиданно возвращаясь домой. Тем не менее его присутствия так никто и не заметил. Он был осторожен.

У Сьюзан всё внутри сжалось от жажды. Она знала, где стоит корыто с водой, но не хотела спускаться вниз, потому что оттуда не видно дома. Старик МакАллистер держал пару коров и лошадь в сарае. Они паслись в поле за ним. Сьюзан не могла думать ни о чём, кроме воды. О том, как она ощущается во рту, на языке. Как проскальзывает вниз по горлу, как напрягаются мышцы шеи. Какой прохладной становится кожа, если выпить побольше воды. Каким гулким звуком отзываются глотки. Она спустилась вниз по лестнице. Придётся повернуться спиной к открытым дверям сарая, чтобы попить.

Он прошёлся по дому, заглядывая в комнаты по пути к задней двери. У него когда-то была семья. Он дорожил ею больше всего на свете и любил всем сердцем. Его сына звали Кит, а жену — Тереза. Они были его смыслом жизни. А потом их забрал огонь, вырвав их из его рук. Он и представить не мог, как это его изменит. Он всё ещё не до конца понимал, как изменился. В нём кипела ненависть к тому, что его однажды радовало, превратив его в чудовище. Он дошёл до задней двери.

Сьюзан попыталась пить из корыта, как лошадь или корова, но ей никак не удавалось делать это достаточно быстро, так что вода то и дело заливалась ей в нос. Она была ледяной — наверное, мистер МакАллистер налил свежей этим утром. Наконец Сьюзан опустила обе руки в воду, а потом поднесла их ко рту. В её ладошках помещалось слишком мало воды, чтобы утолить жажду. Она окунала руки опять и опять, проливая большую часть воды на себя и пытаясь собрать губами остатки.

Кит умер первым. Он перестал видеть в себе родителя даже раньше, чем ожидал. Он всё время ссорился с Терезой, пока она лежала в больнице с серьёзными ожогами. А потом она вернулась домой. Дела пошли совсем плохо, и она умерла после того, как они поссорились за выпивкой. После смерти Кита они всё время пили. Пили так, будто это было семейным делом. Однажды ночью он вытолкал Терезу за дверь, а утром нашёл её тело на набережной — кто-то сбил её машиной и уехал. Он занимался своим картофельным полем, не видел дальше кончика своего носа и не заметил, как болезнь, что превращает хороших людей в чудовищ, пустила корни в его сердце. Он уже и не пытался её усмирить. Когда в его жизни появилась девочка (однажды вечером он услышал, как мама зовёт её по имени ужинать), он понял, что уже очень и очень давно не видел ничего настолько прекрасного. Он вышел через заднюю дверь и аккуратно закрыл её за собой.

Услышав шум, доносившийся от дома, Сьюзан перестала пить и подняла голову, затаив дыхание. Теперь ей был хорошо виден дом, его квадратный силуэт, залитый солнцем. Она заплакала, подумав о том, как было бы хорошо, если бы мистер и миссис МакАллистер были дома. Она содрогнулась, и вода скатилась с её подбородка на новую кофточку, которую мама купила ей совсем недавно. Ей не разрешили носить её до начала учебного года, но кофточка была такой симпатичной, что Сьюзан не могла удержаться и решила хотя бы просто примерить её. Вот только она выглядела так мило в этой кофточке, что ей всенепременно *нужно* было пойти погулять в ней. Так она и оказалась в поле среди рудбекий через дорогу от дома. Ей хотелось просто посидеть рядом с «черноглазыми Сьюзан» и показать им цветы, украшавшие её новую кофточку.

Он шёл в тени дома, чтобы наблюдать за ней. Она пила из корыта. Он скривился. Она заслуживала большего. Его пропащее сердце, то самое, что любило его семью, сжалось от мысли о том, какое испытание он учинил этой девочке, но лишь на секунду.

Ей в глаза светило солнце и ослепляло. Она отошла от корыта и распахнутых дверей сарая. Вдыхая сладкий запах сена и навоза, она почувствовала себя в безопасности и утешилась мыслью о том, что, возможно, если она от него спрячется, ему надоест искать её, и он уйдёт. Направившись вглубь сарая мимо загонов для животных, она чувствовала себя спокойнее. Он её не найдёт, МакАллистеры вернутся домой, и тогда она убежит обратно к маме.

Он увидел, как она отпрянула от корыта и зашагала в заднюю часть сарая. Воодушевившись, он решил спеть ей песню — что-нибудь про цветы подойдёт как нельзя кстати. Он ухмыльнулся и прочистил горло:

Маргаритка, Маргаритка, дай же мне ответ.
Видишь, я схожу с ума: любишь или нет?

У Сьюзан побежали мурашки по коже, когда она услышала знакомые слова песни и как хорошо он её поёт. Может, это и вправду всего лишь игра, и он неплохой человек? Она оказалась рядом с загоном, которым мистер МакАллистер больше не пользовался. В нём лежали разные садовые инструменты и коробки — отличное укрытие. Она могла просто посидеть тут, пока опасность не минует.

Он неспешно зашёл в сарай, напевая песню и поглаживая руками швы своего комбинезона. Всё шло как по маслу. Дома никого, в сарае нет животных, а его девочка сидит примостившись в какой-нибудь уютной норке.

Она споткнулась о канат и врезалась в стопку деревянных ящиков. Он перестал петь.

Оба затихли, став как вкопанные, и затаили дыхание. Он повернулся на шум — так близко!

Её затрясло. Она стояла посреди загона, сжав руки в кулаки. По её ноге заструилась моча.

— Ау, девочка!

Его голос привёл её в движение. Она подскочила и повернулась к воротам загона. Он стоял посередине, опустив руки. Она не стала смотреть ему в лицо. Только не в его лицо. Ни за что!

— Я тебя не обижу, милая.

Она не слушала. Поблизости лежали грабли. Она пнула горсть сена, которое взвилось вверх, и бросилась к ним. Схватив грабли обеими руками, она швырнула их в его сторону и вылетела из ворот загона.

Он знал, что его голос может действовать успокаивающе. Он ласково разговаривал со своей коровой, когда та телилась, и это помогало. А до этого он пел своему сынишке, когда тот был ещё младенцем. Малыш сразу же засыпал. На девочке это тоже должно сработать. Она чуть не вышла к нему сама. Надо было просто продолжать петь.

Ей как-то удалось проскочить мимо него. Сьюзан выбежала из сарая, обогнула дом сбоку и пересекла передний двор так быстро, как только могла. Дыханием драло лёгкие, а ноги горели, словно в огне. Если незнакомец говорит тебе, что не обидит, он врёт. Она слышала это по телевизору. Пусть он и умел неплохо петь, это ещё не делало его хорошим человеком. Она перестала думать и бежала инстинктивно обратно в поле, через дорогу от которого её ждал дом.

Он повернулся и побежал за ней. На этот раз он её поймает. Его рубашка промокла от пота на спине и в подмышках.

Хуже всего пришлось её босым ногам. Они покрылись волдырями и саднили от гравия. Но как только она добралась до поля, пульсирующая боль сошла на нет. Большие, мягкие и прохладные комки рыхлой земли облегчили боль, и она почувствовала прилив сил. Она побежала ещё быстрее.

Он добрался до края поля с рудбекиями, как только она на него забежала. Он нагонит её через пару мгновений и запустит руки в её прелестные светлые локоны.

По полю бежать было намного легче. Она держала голову прямо, размахивая руками. Её дыхание было размеренным и чётким.

Он замедлился, увязая рабочими ботинками в сырой земле. Добравшись до поля, он совсем запыхался, и теперь устало тащился. Он сбавил темп, а она ускорилась.

Мчась по полю, её ступни становились сильнее, а ноги быстрее. Она отмахнулась от желания обернуться. Сьюзан летела, как ветер, рея над землёй.

Он ступал тяжело, всё больше отставая. На его ботинки налипли комья почвы. Они путались в корнях растений и всё больше тянули его вниз своей тяжестью. Его ярости не было предела. Он жалел, что оставил свою кирку.

Она замедлилась. Что-то подсказывало ей — возможно, мельчайшая перемена в дуновении ветра или просто чувство, которое ей не удалось толком осознать, — что он остался далеко позади. Она хотела обернуться, но ей всё ещё было слишком страшно.

Стебли цветов обвивали его ноги. Он пытался отбиться от рудбекий, которые тянули его, царапали и оплетали. Он разрывал их руками, но «черноглазых Сьюзан» было слишком много. Не успеет он сорвать одну, как на её месте тут же явится другая.

Капельки пота на её затылке обдало прохладным воздухом, и она поёжилась. Можно ли обернуться? Как только она об этом подумала, земля содрогнулась. Почва слегка подрагивала и пульсировала под её ногами, словно живая.

Он стоял, расставив руки, и отбивался от вездесущих цветов. Он пинал и топтал их, пытаясь от них отделаться. Стебли ползли по его штанам. Они дышали, вздыхали. Он опустился было, чтобы освободиться от них, срывая соцветия и швыряя растерзанные растения подальше от себя, но они продолжали расти или уступали место новым. Землетрясение чуть не сбило его с ног.

Сьюзан продолжила бежать, но медленнее. Она справилась со своим страхом и обернулась на незнакомца. Ей на ум пришла молитва, которую положено было читать перед сном, единственная, которую она запомнила. Она продолжила бежать.

Земля перестала содрогаться. Цветы сплетались в узы, достававшие ему до талии. Он взвыл, пытаясь размахивать пошире ногами и отдирая от себя душистые цветы, но всё тщетно — они сразу же забирались обратно. Он понял, что растения пытаются его раздавить.

Она услышала его крик. Пронзительный звук окутал её сердечко и крепко сжал его. Она увидела его на краю поля, где начиналась подъездная дорожка к дому МакАллистеров. Девочка замедлилась и пошла, глядя на него через плечо.

Цветы уже добрались до его горла. Его охватила паника. Он рвал их, впиваясь ногтями в свою шею до крови — бесполезно. «Черноглазые Сьюзан» неотступно обрастали его, окутав с головы до ног.

Теперь он казался ещё больше, был более неуклюж. Она прибавила шагу, но продолжала оглядываться на него, пытаясь идти прямо. Почему он перестал за ней бежать?

Он всё ещё мог дышать под сплетением стеблей, но его рот и руки были крепко-накрепко обвиты цветами. Глухой рык раздался из его глотки.

Увидев, что он больше за ней не гонится, Сьюзан остановилась. Он напоминал огромный муравейник, который она как-то видела в гостях у родственников. Он был намного выше её, намного выше цветов. Дядя тогда посоветовал ей не подходить к нему, иначе муравьи облепят её со всех сторон и покусают.

Он мог шевелить лишь мизинцем, плотно прижатым к боку, будучи совершенно беспомощным под тяжестью цветов, которые неустанно обвивали его тело. Его глаза ещё пока были открыты. Он видел девочку. В его зрачках полыхала безумная злость.

Прищурившись, она глядела на человека-муравейник.

Шелестящие цветы шептали ему что-то. Девочка остановилась и развернулась. Его лёгкие стиснула сжимающаяся грудная клетка. Дышать стало сложнее.

Она глядела на него так долго, что солнце успело опуститься ближе к горизонту. Что-то говорило ей, что теперь он был неопасен, и она могла уйти. Это был не совсем голос, скорее, чувство, которое поднималось от её ног к ушам. Будто бы цветы говорили с ней шёпотом, закрывая на ночь соцветия. Она посмотрела на него в последний раз.

Он задохнулся на месте, покрытый большущим курганом спящих цветов, которые снова расцветут утром.

Мама Сьюзан расплакалась и упала на колени, когда дочь влетела через входную дверь так, будто за ней кто-то гнался. Тем не менее она испытывала облегчение и благодарила Бога, который уберёг её малышку от страшной беды.

— Где ты была? Я хотела в полицию не звонить!

«В поле, мамочка», — хотела ответить Сьюзан. Но вместо этого она сказала, что засиделась у МакАллистеров и переела сладостей. Когда её затошнило, МакАллистеры хотели было позвонить её маме.

— Я убежала, и меня вырвало в поле.

Очевидно, это всё были выдумки. Маме часто приходилось слушать всякое, и она всегда знала, как отличить враньё от правды. Но теперь Сьюзан была дома, в безопасности. Всё остальное было неважно. Серьёзный разговор можно отложить на утро.

Мама набрала ей ванну вскоре после возвращения. Ноги Сьюзан покрывали грязевые разводы. Её отругали, но не очень строго. Кофточку пришлось снять, чтобы постирать. Когда она лежала в кровати, закутанная в уютное и мягкое стёганое одеяло, и слушала лягушек, что пели у неё под окном, сон пригласил её к себе, и Сьюзан приняла его предложение, несмотря на пережитый страх. Её разум погрузился во тьму.

Рядом с её окном одна-единственная рудбекия — прелестная «черноглазая Сьюзан» — трепетала в ночи. Её раскрытые лепестки дрожали на ветру. Вдали раздались горькие причитания, но это уже не имело никакого значения.

Перевод Алёны Кондратьевой
Translated by Alyona Kondratyeva

Первая татуировка

Ханна Мелин

— Нет, я окончил колледж в прошлом году. А ты ещё учишься?
Эрик Ланкастер кивнул с фальшивым энтузиазмом, глядя на то, как двигаются губы рыжей девушки. Её ответ потерялся в шуме помещения. Он старался сохранять зрительный контакт, в то время как четыре женщины пробивались мимо него в битком набитый бар. Он улыбнулся и кивнул рыжей девушке. Её губы опять зашевелились, и она через плечо посмотрела на сцену. Эрик наклонился и крикнул ей прямо в ухо:

— Нет, я окончил колледж в прошлом году. А ты ещё учишься?

Эрик Ланкастер кивнул с фальшивым энтузиазмом, глядя на то, как двигаются губы рыжей девушки. Её ответ потерялся в шуме помещения. Он старался сохранять зрительный контакт, в то время как четыре женщины пробивались мимо него в битком набитый бар. Он улыбнулся и кивнул рыжей девушке. Её губы опять зашевелились, и она через плечо посмотрела на сцену. Эрик наклонился и крикнул ей прямо в ухо:

— Ты часто сюда приходишь?

Девушка ответила предложением из четырёх или пяти слов, что-то объясняя. Эрик не мог ничего расслышать из-за басовой партии песни. Она снова посмотрела на сцену, и Эрик тоже посмотрел туда, куда был направлен её взгляд. На сцене стояла толпа музыкантов его возраста в рванных джинсах. Он знал, что они проведут остаток ночи в постели с девушкой, фамилию которой они даже не знают. Это подвальное помещение не было похожим на места, куда Эрик обычно ходил. Но Прейна попросила его пойти с ней. Она обняла его перед входом, и Эрик погрузился в мятный запах её шампуня, пока Джексон, её новый парень, не спросил, не хочет ли она, чтобы он взял её куртку.

Эрик приводил сюда Прейну и раньше. Ему никогда не нравился центр Кливленда, и он никак не мог понять, насколько ей нравился поток толпы. Он проводил большую часть выходных в пробках на автомагистрали I-90, чтобы она могла попрыгать в толпе людей.

Рыжая девушка протиснулась обратно к углу бара. Она посмотрела на Эрика извиняющимся взглядом и отпила напиток, который он ей купил. Когда она отвернулась, он прочёл даты тура на спине её блузки. Группа планировала провести следующие две недели в Огайо. Эрик не понимал, почему Прейне захотелось прийти именно сегодня

— группа собиралась провести ещё четыре шоу в городе. То, что они выпустили майки с датами тура, давая концерты всего в трёх штатах, казалось чересчур оптимистичным.

Эрик перестал улыбаться и стал искать Прейну в толпе. Он заметил Джексона первым, потому что тот был на фут выше маленькой Прейны. Она двигалась под громкие звуки поп-музыки, а Джексон положил руку ей на талию, раздвинув пальцы так, что они растянулись от одного бедра до другого. Эрик вспомнил, как его собственные пальцы выглядели на талии Прейны, как ей нравилось, когда он клал руку ей на бедро, когда они ехали в машине. Но потом Прейна поняла, что ей нравятся мужчины с более широкими руками и более сильной хваткой. Эрик выпил последний глоток рома с кока-колой и повернулся в сторону бара. Рыжая девушка исчезла. Он заказал ещё один напиток.

***

Он проснулся от запаха меди и олова на матрасе, мутно различая что-то на нём. Солнечный свет позднего утра осветил комнату так, что его вырвало, и его желудок избавился от остатков вчерашней еды из бара. Его комната вызывала клаустрофобию и в обычный день, но опрокинутые груды грязной одежды и скрученные внизу у кровати простыни давили на Эрика ещё больше. Напротив его кровати было зеркало во весь рост, которое повесила его мама: «...чтобы помещение выглядело больше, Эрик. Но оно то и делало, что перенаправляло лучи солнечного света в глаза Эрику.

На наволочке его подушки было коричневое чернильное пятно, пронизанное чёрными полосками, как на железнодорожной карте. Когда Эрик сел, чтобы посмотреть на него поближе, его пронзил жар в левой руке, будто от укуса пчелы. Он повернул руку ладонью вверх и посмотрел на источник боли.

На его руке, на дюйм выше локтя, была татуировка полусидящей женщины, очертания которой выступали и были недавно набитыми. Она была нарисована в чёрных и серых тонах, на ней была юбка с высокой талией, которая развевалась на ветру. Её волосы были густыми и волнистыми и доходили до талии. Она подмигивала Эрику густыми и преувеличенно изображёнными ресницами. Локоны её волос развевались на воображаемом ветру, скрывая от взора пышную грудь. Её ноги были длинными и изогнутыми, как и её руки, и ещё руки, и ещё, и ещё. У женщины на тату было восемь рук: все они были пропорционально расположены вдоль её тела, они росли из волос, бёдер и ягодиц.

Эрик не мог представить себя проснувшимся когда-либо с татуировкой практически голой женщины на руке, а тем более женщины, у которой было больше двух рук. Его голова пульсировала от боли, он зажмурился и сильно потёр глаза руками. Открыв глаза, он увидел, что чёрно-серая женщина всё ещё смотрела на него. Её губы не были накрашены, но розовая кожа вокруг придавала её ухмылке живость.

Эрик попытался вспомнить прошлую ночь: он приехал в центр города, чтобы послушать группу The Honey-Guzzlers, выпил три стакана во время выступления и ещё два во время второго вступления, пытался заговорить с двумя-тремя девушками после того, как его друзья потерялись из виду. Он помнил, как Прейна смеялась, танцуя с ним, и холодный взгляд Джексона. И больше ничего.

Эрик взял телефон с тумбочки, включил зарядное устройство в розетку и сделал себе чашку кофе, пока ждал его включения. Кошелёк и ключи от машины лежали, как обычно, на кухонном столе. Эрик надеялся, что домой он приехал не сам.

Он протёр тату холодной рукой, смахивая засохшую кровь. На нём были джинсы, а футболка куда-то пропала.

Экран телефона засветился, Эрик взял его и проверил уведомления. Никаких новых сообщений или пропущенных звонков. Он написал Прейне:

Где ты?

Допил кофе, пока ждал ответа. Через пару минут, пришло ответное сообщение.

Дома. А ты?

Тоже. Мы куда-то вчера ходили после шоу?

Мы с Джеком пошли гулять. Я тебя потеряла ещё до окончания шоу. Слишком много выпил?

Кажется, лол.

Эрик выругался и кликнул на галерею. Последней в галерее была фотография Сюзи, маминого голдендудля. Он просмотрел журнал звонков, старые сообщения и Google карты — всё безрезультатно.

Опять взглянул на подмигивающую женщину. Как и полагается первому тату, оно было тщательно прорисовано. Ему придётся надевать одежду с длинными рукавами во время семейных встреч, но это не страшно. Его желудок вновь скрутило, и он кинулся в туалет.

Приняв душ и проспав ещё часа три, Эрик надел свою рабочее поло и отправился на работу в закусочную. Он пришёл на пятнадцать минут раньше, а когда вошёл, Лео уже снимал с себя фартук и сетку для волос. Закусочная, представляющая собой дешёвую забегаловку, была почти пуста. Эрик прислонился к прилавку, ожидая, когда Лео обратит на него внимание. Лео был намного старше Эрика, но всё ещё оставался мальчишкой. Эрику нравилось, что было легко заставить Лео в деталях рассказать о различных проделках. Лео торопливо кивнул ему и кое-как засунул фартук в ящик.

— Ты…торопишься? — спросил Эрик.

— Угу.

— Сегодня тут как-то тихо, да?

— Угу.

Лео отвернулся и отметил свой уход на аппарате. Эрик посмотрел на часы.

— Думаю, я могу тебя прикрыть сегодня, — сказал он. — В смысле, не проблема.

Лео хлопнул его по плечу и направился к двери.

— Спасибо, приятель. У меня свидание, не хочу опоздать.

— О, у тебя есть девушка, и ты мне не рассказал!

Колокольчик над дверью зазвонил, и Лео вышел. Эрик вздохнул и пританцовывая встал за прилавок. Первый клиент пришёл через час, второй — ещё через сорок минут. Прислонившись к холодильнику, Эрик засучил рукава. На внутренней стороне одного была засохшая кровь, но она не запачкала материи. Женщина на тату улыбалась ему. Хоть его кожа уже не была покрасневшей, её губы всё ещё были багровыми. Приглядевшись, Эрик увидел, что на её губах был комок свернувшейся крови. Он стер его пальцем. Её губы были тёплыми. Эрик слегка надавил на них и почувствовал колющую боль. Губы были нарисованы на толстой вене. Под пальцем Эрик чувствовал своё сердцебиение. Он коснулся своих губ, они были холоднее. На них не чувствовался пульс, вены под их кожей были слишком тонкими.

После работы Эрик выпил пива и снова написал Прейне. В ответ та отправила селфи: она широко улыбалась, её карие глаза блестели под толстыми стёклами очков. Тёмные волосы, которые только вчера развевались на её плечах, когда она танцевала, теперь были подстрижены в короткий геометрический боб.

Смотри, я подстриглась!

Эрик подумал от том, как её волосы падали ей на лицо, когда она занималась, как они переливались, когда она откидывала их за плечи, смеясь над его шутками, как его пальцы будто загорались, когда он проводил по ним рукой. Эрик возненавидел этот боб. Он ответил ей:

Мило!

Эрик выпил ещё пару кружек пива и пошёл спать.

Ему снились волосы Прейны.

Он стоял перед ней — перед огромным гигантом, сидящим перед ним, положив ногу на ногу. Она посмотрела на него, и волосы упали ей на лицо, свисая вниз, как джунгли из веток какао. Он схватился за две ветки и начал по ним подниматься, почувствовал обжигающий запах мяты, который ещё больше обжигал его нос по мере того как его дыхание учащалось от усталости. Он с ещё большей силой стал подниматься и почувствовал боль и дрожь в предплечье. Его глаза слезились от запаха мяты, руки болели. Он схватился рукой повыше, и почувствовал, как она соскальзывает по тёмной грязи на волосах. В отчаянии он схватился другой рукой, но и она соскользнула. Скатившись на несколько футов вниз, он попытался вскарабкаться, но не смог найти ни одного волоска, который бы не был покрыт грязью, поэтому скатывался ниже и ниже, запутываясь в прядях волос, которые резали его кожу. Его видение затуманилось, тёплые коричневые волосы Прейны стали чёрными как уголь. Когда Эрик разжал руку и ослабил хватку, он понял, что режущий запах мяты сменился на тупой, металлический запах чернил.

Эрик проснулся. Лучи утреннего солнца пробивались сквозь жалюзи. Его пальцы онемели. Он понял, что заснул на боку, и его левая рука лежала под рёбрами. Он освободил руку и подождал, пока покалывание в пальцах пройдёт. Эрик почувствовал, что несмотря на то, что он спал на руке, тату перестало болеть.

Он повернул руку, чтобы хорошенько посмотреть на бицепс, и увидел, что на нём ничего не было — ни чернил, ни красноты, ни боли, а только бледная кожа. Тату теперь было на правой руке.

Женщина ему подмигивала, её руки были скрещены на волосах. Эрик провёл по ней пальцами — боли не было, кожа была тёплой.

Эрик был уверен, что татуировка была у него на левой руке, но когда он посмотрел на её улыбку, на голову, лежащую на одной из рук, то засомневался. Тату было именно таким, каким он его помнил, на том же месте на руке. Он испугался, что мог забыть такое, но всё же решил, что перепутал.

На её губах опять была кровь. Он соскоблил её ногтем. Когда он убрал руку, её губы уже не были такими живыми, но всё ещё были розовыми. Он посмотрел на маленький красный изгиб под своим ногтем. С дрожью в пальцах он заметил такой же красный полумесяц под ногтем другой руки.

Эрик потянулся пальцами правой руки к татуировке, пытаясь достать до неё. Он смог дотянуться до кожи, которая была на несколько сантиметров над женщиной, потом натянул свитер, хоть на улице и было слишком жарко, и пошёл в последнее вспомнившееся ему место.

Он подошёл к двери и увидел, что она была заперта. Стоя на обочине дороги, он смотрел на проезжающие мимо машины. Улица выглядела пустынной без ярких неоновых огней, света и толпы людей, входящих и выходящих из клуба. Эрик попытался вспомнить обратную дорогу, фыркнул, чувствуя себя тупицей и пытаясь уловить в воздухе знакомый запах.

Чёрт! Он ходил взад и вперёд по тротуару, разглядывая магазины. Солнце поднималось всё выше и выше, серые и чёрные здания становились похожими на отвесные скалы незнакомой и неприветливой пустынной долины. Эрик снял свитер, впервые оставив татуировку женщины под открытым солнцем. Он сразу же почувствовал прохладу, лёгкий ветерок принёс чувство облегчения. Он протянул руку, чтобы коснуться тату, но его опять там не было. Теперь она улыбалась ему с наружной части его руки, две её руки тянулись к его плечу. Одной ногой она обвивала локтевой изгиб. Её тёмные очертания мерцали под слоем пота, их можно было легко разглядеть.

Эрик обратил внимание на то, каким широким был тротуар, из скольких окон его было видно. В нём проснулся животный инстинкт; он почувствовал себя слишком открытым, слишком уязвимым. Ускорив шаг, пошёл обратно к машине. Проклиная свою удачу, он увидел, что рядом с машиной стоял человек в форме и что-то писал в блокноте.

— Я здесь, я сейчас уберу её! — крикнул Эрик.

Фигура в форме перестала писать. Оранжевая форменная куртка ужасно не сочеталась с золотистыми волосами. Через очки он смог разглядеть, что она была моложе, чем он ожидал, наверное, всего на пару лет старше его.

Она сочувствующе на него посмотрела.

— Я уже выписала штраф. Здесь нельзя парковаться по воскресеньям.

Эрик вздохнул и присел на капот.

— Спасибо, что относитесь с пониманием, — сказала она.

— Должно быть, вам встречается много придурков.

Женщина засмеялась.

— Да, многие устраивают разборку.

Она дёрнула листок, подала его Эрику и посмотрела на его руку. Эрику показалось, что её взгляд застыл.

— Классное тату.

— Да, оно новое. Недавно набил.

Она улыбнулась.

— Выглядит шикарно. Я тоже подумываю о тату. Можно? — она протянула руку.

Эрик тщетно попытался выглядеть равнодушным.

— Конечно.

Женщина слегка погладила тату кончиками пальцев. Жар и боль прошлись по его телу, заставляя его согнуться. Она одёрнула руку, но горячие волны продолжали идти по его телу.

— Простите, я не хотела.

— Всё в порядке, — Эрик стиснул зубы и выпрямился.

Горячие ленты сужались, переходя в пульсирующую боль.

— Вы хотите, чтобы я кому-нибудь позвонила?

Он попытался выпрямить плечи, которые дёргались сами по себе, помахал ей рукой, залез в машину и медленно уехал.

Эрик остановился около винного магазина в двух кварталах от дома Прейны. Он припарковался на ближайшем свободном месте и пошёл напрямик к задней стороне магазина, где хранился её любимый сладкий москато. Он старался смотреть себе под ноги, когда проходил мимо девушки в маленьком кроп-топе с рекламой виски. Она прислонилась к пластиковому складному столу, украшенному красочными карточками.

Девушка что-то сказала, но он не услышал из-за сильного барабанного стука в ушах. Он взял розовую бутылку, прошёлся по ряду, расплатился двадцаткой и пошёл к машине, сосредоточившись на пульсирующей боли, которая давила на глаза. Кассир что-то прокричала, зазвенела сигнализация, но никто не пошёл за ним.

Когда Эрик приехал к Прейне, был уже полдень. Стекла здания неприятно отражали свет. Зрение Эрика позволяло ему видеть только тонкую полоску, остальное было скрыто белой пеленой мигрени. Но он даже вслепую смог бы дойти до квартиры на третьем этаже. Поднялся по ступенькам, закрыв глаза от боли, постучал в дверь. Постучал ещё раз, но не услышав шагов, ударил по двери. Откупорив бутылку москато. «У этого вина даже нормальной пробки нет», — подумал он. Отпил, сморщился от сладости и отпил ещё.

***

Тремя часами позже Эрик открыл глаза. Он провёл языком за зубами и передёрнулся от неприятного вкуса. Прейна наклонилась над ним, её черты напоминали силуэт в свете флюоресцентной лампы. Короткие волосы переливались тысячами оттенков, её укладка превратилась в непослушный комок. Эрик подумал, что она похожа на одуванчик, растущий на обочине дороги. Щуплое, закоптелое растение, которое бы рассыпалось от ветра проезжающей мимо машины.

Она вырвала пустую бутылку из его рук. Он не смог бы её удержать, даже если бы захотел; он засыпал, прислонившись к стене, экран дисплея щекотал его правую руку.

— Эрик, — прошептала она.

Он не понимал, почему она говорила тихим голосом, ведь они были одни.

— Твои волосы красиво смотрятся, — соврал Эрик.

— Я не буду дальше продолжать делать это с тобой, Эрик.

— Будешь, — фыркнул Эрик.

Прейна приняла серьёзный вид и получше натянула джинсовый пиджак. Она стала водить руками по плечам, пока не поймала кончики волос чуть выше места, где они росли раньше, и скрутила вокруг пальца тугую прядь.

— Раньше ты был лучше.

— Да, наверное.

— Джексон скоро будет здесь.

Эрик вскочил, игнорируя позыв к рвоте, возникший при вставании.

— Ты ему позвонила?

— Нет, я ему не звонила. Боже! Он оставил рабочую обувь в моей комнате. Он не знает, что ты здесь.

Эрик уставился на свои ноги, его взгляд был мутным. Каждый раз, когда он пытался посмотреть на Прейну, волна жара и боли закрывала ему зрение, заставляя его потупить взгляд. Он мог сфокусироваться только на растрёпанных кончиках её волос и очертаниях её одежды.

— Я выпил весь москато, что принёс для тебя.

— Ничего, Эрик.

— Ты мне иногда снишься.

— Не надо, Эрик.

— Я иногда скучаю по тебе.

— Эрик...

Он прищурился, пытаясь разглядеть выражение её лица. Он буквально чувствовал, как кровь проходит по его ушам. Он всё ещё не мог разглядеть её лица.

— Тебя подвезти домой?

— Нет, спасибо, — сказал Эрик. — Я закажу Uber.

Он отошёл в сторону, чтобы пройти, но она взяла его за руку. Он перестал дышать, её прикосновение выжигало кожу, как клеймо. Его горло судорожно сжималось, пытаясь вдохнуть воздух.

— У тебя кровь.

Правый рукав его футболки прилип к коже, ткань была пропитана кровью. Мутным взглядом он увидел полоску крови, спускающуюся вниз по его руке и проходящую вокруг его запястья. Ладонь Прейны стала красной.

— Боже, тебе нужно в больницу!

— Мне не нужна... чёртова... больница, — язык Эрика заплетался, он с трудом выговаривал слова.

Он прислонился к стене, его взгляд был затуманенным и размытым. Сосредоточив внимание на голосе Прейны, он услышал ещё чей-то тихий голос. Затем он почувствовал большую руку у себя на плече и приготовился к боли, но от руки шла прохлада. Эрик закрыл глаза и упал на высокую фигуру, стоявшую перед ним.

***

Когда он пришёл в себя, почувствовал, что его кто-то нёс. Гравитация обжигала пазухи его носа, и желудок скручивало при движении. Его руки были в карманах. Он дёрнулся от резкого давления на зону паха.

— Чёрт побери, Ланкастер! Не будь таким фриком, — сказал Джексон.

Он достал ключи из кармана Эрика, открыл дверь и толкнул его в квартиру.

Высокая фигура Джексона стояла в дверном проходе. Полусонный Эрик не мог разглядеть, были ли на его лице отвращение или жалость. Джексон кинул ключи в грудь Эрику.

— Иди спать.

— Спасибо, — сказал Эрик.

— Иди к чёрту!

— Уже в пути.

Дверь захлопнулась. Эрик ползком добрался до дивана, лёг, закрыл глаза и стал ждать, когда всё вокруг перестанет крутиться.

Что-то в неподвижных стенах и тенях, падающих на них, казалось Эрику искусственным, будто он смотрел на иллюстрацию комнаты, на плоскую поверхность, которая под определённым углом казалась трёхмерной.

Лунный свет сделал комнату холоднее, а мягкие углы груды грязной одежды — геометрическими. Он задёрнул шторы, закрыл входную дверь на крючок и постоял у выключателя света, но решил оставить его выключенным.

Эрик стал перед зеркалом и разделся. Его футболка с треском отвалилась, ткань была твёрдой от засохшей крови. Его бледная кожа, казалось, сияла в тусклом свете, пробивающемся сквозь шторы. Тёмные линии сухой, свернувшейся крови проходили от плеча до запястья. Используя зарубцевавшуюся кожу, как юбку, восьмирукая женщина улыбалась ему с ключицы. Она откинулась на углубление в ней, две её руки тянулись к его кадыку. Остальные руки обвивали её тело и волосы.

Эрик сделал глубокий вдох.

— Хорошо. Я весь внимание.

Когда его мышцы напряглись, волосы женщины колыхнулись.

— Я сказал, что слушаю.

Ответом был лишь тихий шум потолочного вентилятора. Эрик зажмурился.

— Что тебе нужно? — спросил он комнату.

От искусственного холода по его коже пошли мурашки. Он глубоко вздохнул и почувствовал давление в двух точках на своей ключице — в двух тёплых точках размером с отпечаток пальца. Он не открыл глаз. Точки поднимались по его плечу к шее сзади медленно, игриво.

Тихий, ласковый голос прошептал ему в ухо:

— Я хочу тебя, Эрик Ланкастер.

Эрик ещё крепче зажмурил глаза и тяжело сглотнул.

Точки поднялись по задней части его спины, щекоча кожу его головы на макушке. Эрик почувствовал, как маленькие руки слегка касаются его волос, почувствовал восемь точек прикосновения. Женщина поднималась по его черепу.

— Они тебя не достойны, Эрик.

Женщина проползла по его волосам и села надо лбом, свесив ноги в виде восьмёрки на лоб. Она потянулась, чтобы погладить морщину над его бровью, выглаживая складку.

— Разве ты не согласен? — спросила она с улыбкой.

Эрик дёрнулся, когда она спустилась по его носу и уселась над ртом. Он задрожал. От холодного воздуха его губы болели и потрескались.

Она свисла с кончика носа, приложив руки к его губам. Он крепко сжал их, несмотря на боль. Точки, где лежали её руки, были мягкими, это придавало чувство облегчения его сухой коже. Он подумал о том, какое облечение ему сейчас могло бы принести одно движение языком по губам.

Он почувствовал её дыхание у своего рта.

— Эрик, — прошептала она, — впусти меня.

Он с одышкой открыл рот. Она проскользнула между его губами, её тело было тёплым. Он чувствовал её вкус — это был вкус не соли, металла и чернил. Её вкус был сладким, как нектар, с почти незаметной кислинкой, как у цитрусовых. Он забыл о холоде в теле, когда она начала взбираться по его языку. Он жадно сглатывал, когда она забиралась в его горло. Её тело цеплялось за гладкие мышцы.

Она была на полпути к его горлу, и Эрик был так близок. Он почувствовал, как она внезапно остановилась. От неожиданности он открыл глаза. Он был разочарован и отчаянно хотел, чтобы она продолжала. Он посмотрел на себя, бледного и безразличного, уставившегося в зеркало. Его кадык поднимался и опускался. Женщина отказывалась отодвинуться от горла. Она вонзилась в стенки пищевода всеми восемью руками неподвижной силой, не дающей мышцам двигаться. Эрик вдохнул и понял, что у него перехватило дыхание. Он схватился за горло, пытаясь протолкнуть женщину, но она крепко держалась. Он начал задыхаться, на его губах появилась пена. Сунув два пальца в рот, Эрик безуспешно пытался вызвать рвоту. Его челюсть болела, касаясь костяшек пальцев. Его дрожащие колени подкосились, и он упал на пол, горло сильно сжалось. С отчаянным звуком «акх, акх, акх» Эрик делал попытки дышать. Затенённые места комнаты попадали в поле его зрения. Эрик отпустил горло и обхватил себя руками, пытаясь сжимать лёгкие, которые уже не выполняли свою функцию. Он почувствовал силу своих ладоней на своих же руках. Потом это тоже прошло, и перед глазами Эрика Ланкастера потемнело.

Перевод Камила Сарийева
Translated by Kamil Sariyev

Осколки

Евгений Ворон

Я всегда боялся смерти, того, что будет после — неизвестности. Кто знает, что там, по ту сторону жизни? Я боялся быть поглощённым тьмой, перестать быть собой. Когда воображал, что меня вдруг не станет, что я просто возьму и исчезну, становилось обидно. Ведь я столько мог бы успеть сделать, узнать, сказать близким слова, которые до сих пор не осмеливался выговорить. Сейчас, лёжа на земле и наблюдая за тем, как безликие твари поедают мои разорванные кровоточащие внутренности, я не боюсь. Я хочу покоя. Воспоминания сочатся по извилинам умирающего мозга.

Родители. Комната, обставленная бесхитростной советской мебелью, ещё источающая запах тех времён. Мне около десяти лет.

Всё началось в обычный семейный вечер. Родители приготовили ужин, включили старенький телевизор. Я их перестал видеть и слышать — мир для меня сузился до небольшого экрана. Из него на меня смотрели безликие существа. Я помню шипение и помехи изображения, словно антенна опять покосилась, и нужно было её поправить. Размеренный разговор родителей затих, когда из коридора послышался удар в дверь.

И я не увидел, а как-то почувствовал всем своим существом, как их глаза наполнились ужасом. Странно. Я не помню выражения их лиц, но вот энергия эмоций крепко отпечаталась в памяти. Экран погас сам. Родители выбежали из комнаты, а я отполз за небольшую ширму в углу. Молча сидел, обхватив руками свои острые ободранные коленки. Я будто оглох. Мой взгляд был занят рассматриванием незамысловатого цветочного узора на жёлтой ткани. И тогда пришли «они». Я не решился высунуться из укрытия. Существа гудя, словно рой пчёл, бродили по комнате в поисках чего-то или кого-то. Вот-вот они найдут его. Но «они» не заглянули за ширму. Монотонный гул стих — ушли. Не помню, сколько я там просидел. Может быть, полчаса, а может, целый день. Желудок сжался, требуя пищи. Это, наконец, вынудило меня выползти и осмотреться. Комната была пуста. Какое-то время я питался остатками еды со стола, за которым мы собирались есть с родителями. Пища портилась и неприятно пахла, но мне было всё равно.

Через месяц я опустошил холодильник. С кружащейся от бессилия головой бродил по квартире, выискивая, что бы ещё съесть. Когда я сидел перед выбитой дверью в прихожей и облизывал случайно найден-

ный крошечный кусочек заплесневелого хлеба, вбежала большая костлявая крыса. Раньше я бы, конечно, испугался. Но сейчас мной двигало лишь чувство голода. Я подпустил грызуна поближе, дождался, когда крыса начнёт вгрызаться в мою босую ступню, и кинулся на зверька всем телом. Она надрывно пискнула, послышался тихий хруст её костей. Я слез с тушки, осматривая содеянное. Небольшая багровая лужица расползлась вокруг расплющенного тельца. Приник к полу, жадно слизывая кровь, ощущая её солоноватый вкус во рту. Но этого было мало. Я подобрал крысу и с силой вгрызся зубами в мёртвое тело. Мясо было жилистое и горькое. В моём затуманенном мозгу промелькнула мысль, что стоит оставить немного на потом. Бросил недоеденного зверька прямо в коридоре. Поднялся, почти не ощущая боли в прокушенной ноге, и шатаясь пошёл на кухню — посмотреть в окно. Там всё было по-прежнему. Стальное небо в грязных разводах облаков, опустевшие улицы, многоэтажки с чёрными глазницами выбитых окон. Я боялся выйти туда. Лучше умереть здесь, в родном доме. Я закашлял, сплёвывая кровь. Свою или крысы? Силы оставили меня, и я уснул прямо там, на полу.

Меня разбудило знакомое тянущее чувство в животе. Вспомнил про оставленную в коридоре крысу. С трудом поднявшись на ноги, дошёл до прихожей. Трупик был там, но он шевелился, словно грызун ожил. Я опустился на колени, ткнул его пальцем и вздрогнул — из рваной раны в боку крысы выполз жирный червь. Я осмелел и перевернул трупик — из него вывалился целый комок желтоватых опарышей. Они сожрали мою крысу, моё последнее мясо. Я сглотнул слюну — кто знает, когда ещё сюда придёт что-то живое? Рукой зачерпнул опарышей, ощущая их шевеление на ладони. Зажмурился и пихнул комок в рот. Их тела лопались, когда я сжимал зубы. Сладковатый сок заливался мне в глотку. Из глаз брызнули слезы, я глотал, брал в руки ещё и ещё, жевал и тихо рыдал. Когда черви кончились, я отполз в сторону и лёг на пол. К горлу подступал комок тошноты, и я, как мог, пытался оставить внутри себя подобие еды, но организм не выдержал. Через секунду я уже лежал в луже своей рвоты. Прикрыл глаза и втянул в себя воздух. Пить... Но сил дотянуться до неё уже не было.

Ремешок автомата натёр плечо, и я перекинул его на другое. Через потрескавшиеся линзы старенького бинокля удалось рассмотреть вдалеке очертания строений. Может быть, это город? Стоит проверить. Мне нужна питьевая вода и провизия.

Я спрыгнул с камня, на котором устроил небольшой привал. Поправил противогаз и плотнее запахнул защитного цвета плащ. Передо мной расстилалась выжженная пустошь с отравленным воздухом. Сегодня удача на моей стороне — никто из выживших не собирался нападать. Держа курс к чёрной полосе почти у самого горизонта, служившей границей мёртвому городу, я оглядывался и прислушивался.

Противогаз заглушал звуки — я не сразу услышал журчание воды. Загадочная полоска оказалась рекой. Вязкая тёмная жидкость лениво исходила волнами, несмотря на полный штиль. Я не рискнул снять противогаз, но резкий запах химикатов всё равно просочился сквозь фильтры. Я огляделся в поисках какой-либо переправы, но тщетно. До города — около километра, река была преградой. Я порылся в рюкзаке, стараясь отыскать что-нибудь ненужное, чтобы проверить реакцию воды. Пара магазинов от автомата, фляга с водой, несколько кусков уже чёрствого хлеба, нож, спички... Всё это могло ещё пригодиться. Выругался — ничего не остаётся, как самому войти в реку, полагаясь лишь на удачу.

Я осторожно погрузил ногу в воду, ощущая её липкий холод сквозь ботинок. Ничего не произошло, и я рискнул войти в реку, надеясь найти брод. Вода доставала мне примерно до пояса. Я брёл вперёд, но густота жидкости словно не хотела отпускать меня. Всё вокруг забурлило, краем глаза я увидел, как из воды формируются причудливой формы руки. Нет, не здесь и не сейчас! Не хочу умереть вот так. Я сделал отчаянный рывок к берегу и — о, чудо! — смог ухватиться руками за землю. Мои движения сковывала промокшая одежда, но я дотянулся до земли и выкарабкался на берег. Разум подсказывал мне, что стоит встать и скорее бежать от этого проклятого места, но сил не было совсем. Я повернул голову — вода яростно бурлила, словно негодуя, что упустила жертву. Нужно ползти. И я пополз по мёртвой земле. Нашёл в себе силы оглянуться — чёрная полоска была далеко позади. Я перевернулся на спину и шумно втянул в себя воздух. В хмуром небе — ни одной птицы.

Первое, что я заметил, войдя в город, было странное покрывало, вывешенное на балконе дома. Ярко-красное, такое неестественное для серости мира, оно слегка шевелилось. Что это — предупреждение? Просьба о помощи? Но в каких бы городах я ни был, люди там исчезли уже давно. Сделал несколько неуверенных шагов в сторону многоэтажки. Здесь очень тихо, я даже не слышу своего дыхания. И дело не в противогазе — сам город словно укутали плотным одеялом. И тишина пугала больше неизвестности.

Они полезли неожиданно. Передо мной возникла тень — слишком высокая и вытянутая по сравнению с человеком. Когда первое существо подобралось ближе ко мне, я увидел, что у него нет лица. Белый овал черепа без глазниц и носа, оскал гнилых зубов. Изо рта сочилось что-то чёрное. Промелькнули детские воспоминания. Это существо из телевизора, я видел подобных больше десяти лет назад. Я вскинул автомат, щёлкнул затвором и короткой очередью сбил существо с ног. С жутким хрипом оно забилось в агонии, истекая тёмной кровью. Я услышал гудение со всех сторон. Паника проникла из детства в повзрослевший разум. Мурашки иголками укололи спину. Тени

лезли отовсюду, стекая с пустых окон, падая на землю и принимая свой облик.

Отстреливаясь от них, я продвигался к дому, перед которым валялись ржавые баллоны. Хотелось бы верить, что там газ. Задыхаясь от страха, я перепрыгнул их и отошёл как можно дальше. За спиной — стена. В магазине оставался один патрон. Последний. Существа продолжали наступать. Выстрел. Взрыв.

Меня прибило к стене. Резкая боль сковала позвоночник. Левый глаз был выбит стеклом противогаза. Я медленно осел, отбросив ненужный уже автомат в сторону. Заметил огромную рваную рану на животе, вокруг которой стремительно краснел плащ. Я хрипло засмеялся. Существам огонь был нипочём: они спокойно просачивались сквозь пламя, переступая через своих мёртвых собратьев, и подбирались к моему телу.

Я ничего не чувствую. Их зубы пожирают меня изнутри, раздирают моё мясо, как когда-то в детстве я жрал грязную крысу. Вот она, смерть. И мне все равно. Я устал. Очень устал.

Я стою в небольшой комнате. Шум дождя. Блёклый свет даёт возможность рассмотреть окружение: окно, покосившаяся и ржавая батарея, верёвки с прицепленными кусками бумаги. А стена передо мной обклеена фотографиями. Я подошёл поближе, чтобы рассмотреть

их, и случайно задел одну из верёвок. На меня капнула тёмная жидкость. Кровь...

Бумага несла на себе отпечатки прошлого — лица, улыбки, живые люди. Фотографии на стене меня заинтересовали больше. Светловолосая женщина с кругловатым лицом держит на руках ребёнка. Тёмнорусый мужчина обнимает женщину за талию. Вот фото ребёнка постарше. Цвета тусклые, но у него серые глаза и тёмные волосы. Я уже не помнил своей внешности.

Огляделся в поисках чего-либо отражающего. Из комнаты я не решился выходить — было странное, гнетущее ощущение, что, если уйду — призрачная надежда увидеть знакомые лица исчезнет. На полу валялись осколки. Я присел, всматриваясь в них.

Это было старое зеркальце. Осколки крохотные, перепачканные. Я выбрал один, старательно протёр его рукавом свитера. В зеркале отразились запавшие тёмно-серые глаза и неровно остриженные пряди волос.

Подошёл к фотографии вместе с осколком, стал сравнивать черты лица, искажённые грязным зеркалом, с фотографией ребёнка. Но моё лицо изменилось, уже сложно понять. Посмотрел на взрослых — у мужчины похожий взгляд серых глаз. Глянул на женщину — мне почудилось, что её лицо полно страха.

И тут я вспомнил, где я видел их. Детство, накрытый стол, лица отца и матери. Наконец-то увидел! Как же я долго мечтал об этом!

Я оторвал от стены фотографию, где мы втроём, сел на пол, прижимая к себе кусочек бумаги, и с улыбкой закрыл глаза, погружаясь во тьму. Всё кончено.

Кафельные стены реанимации эхом отражали два голоса. Немолодой врач в очках, изредка поглядывая на тело, что-то записывал на листе, прикреплённом к планшету.

— Фиксируем время смерти.

— Причина? — спросила молодая практикантка, внимательно посмотрев на врача.

— Передозировка снотворным на почве шизофрении и галлюцинаций. Самоубийство. Сделайте доброе дело — отвезите тело в морг.

Медсестра взглянула на покойника. На белом лице молодого темноволосого парня застыла жуткая улыбка. Это её испугало, и она быстро закрыла его лицо простыней.

Очередная больничная каталка, скрипя колёсиками о протёртый линолеум, повезла человека в последний путь.

ТРИ СТИХОТВОРЕНИЯ

Дж. Дж. Стэйнфилд

Озабоченный росток вожделения

В один из ветреных вечеров, полных раскаяний,
она появляется пред тобой
с древней мифической улыбкой на лице,
полной таинственных красот,
о которых ты и понятия не имеешь.

Где я сейчас?
Обнимет ли меня древняя богиня?
Она вопрошающе смотрит, её руки дотрагиваются
до твоего озабоченного ростка вожделения.

Она продолжает улыбаться, время растворяется —
она требует больше новых образов,
чем рождающихся и исчезающих планет во Вселенной.
И, как глубокий поцелуй,
это заканчивается слишком быстро для одного
и недостаточно быстро для другого.

Она сгорает от любви
с невероятным рвением
и жаждой близости к тем,
кто обучен на ошибках других —
на их отчаянии и их хрупкой изобретательности.

В дрожащем и дерзком общении —
всё ещё переигрывающий сценарий любви —
ты обновляешься.
Втяни в себя ветер
и изгони раскаяние.

На краю сюрреализма

Утренние лучи приговорили вас к бодрствованию
(единственная, на ваш взгляд, метафора, годная к употреблению),
и вы всматриваетесь в кошмар скуки
(утро щедро на пугающие образы),
и вы проклинаете суету сует
и просите прощения за своё ханжество.

После крепкого кофе, напоминающего истинный яд,
и, конечно же, после мелодичного скрипа ваших костей
и кратковременного воспоминания о прекрасном
начинается ваш непредсказуемый день.

Как описать следующие несколько часов
заиканий и взаимоследствий,
(трудно поверить, но поверьте мне),
но вот суть непредсказуемости:
случайно учиться делать сальто,
случайно обнаружить тайный проход,
случайно телом прикоснуться к двусмысленности,
случайно обнаружить жуткую древность,
случайно впасть в лоно тоски,
случайно всем вашим цветом, голосом и даже болью
воплотиться в чей-то анекдот дня.

Смешение ощущений и несовершенства,
путаница несоответствующих биографических деталей.
Наконец-то, благодаря чьей-то бюрократической ошибке,
вы, как в бреду, преодолели день.

И теперь вы можете только надеяться,
что завтра у вас будет такой же захватывающий день,
ну, или хотя бы наполовину такой же насыщенный,
и его благоденствие не оставит вас в опасном смятении
и не запрет вас в тиски непростительного благочестия.

Моральный дух

У меня тяга к крепкому кофе и к киберпространству,
такого независимого от географических условностей.
И вот, прогуливаясь по местному интернет-кафе,
я натыкаюсь на тему
ещё не инсценированной трагедии,
ещё не распетого греческого хора,
выкрикивающего *Моральный дух*
на раз, два, три центурионского такта,
и формулировка непонятного вопроса:
Достаточно ли в вас морального духа?
С чего бы это, какому угодно хору —
греческий он или нет —
задаваться таким высокопарным вопросом?
И я беспардонно, но вежливо спрашиваю:
Морального духа для чего?

Достаточно ли в вас морального духа,
чтобы преодолеть гравитационное притяжение
памяти?

Достаточно ли в вас морального духа,
чтобы противостоять воображаемым ужасам,
воплотившимся в жизнь?

Достаточно ли в вас морального духа,
чтобы снять с себя шутливое волшебство,
ставшее порчей?

Языковое значение,
поцарапанное вопросами и фразой *моральный дух* —
Я замолкаю и сотрясаю головой.
Допрос возобновляется
на грани здравого смысла и полного абсурда:

Достаточно ли в вас морального духа,
чтобы отказаться от своих предубеждений
и пересмотреть своё мировоззрение?

Достаточно ли в вас морального духа,
чтобы сбросить с себя сбрую
и свободно посмотреть на мир?

Достаточно ли в вас морального духа,
чтобы присоединиться к нам на сцене
для новой трагедии?

Отказавшись от крепкого кофе и киберпространства,
я отвернулся и побежал
в поиске театра с иным вкусом,
в поиске других голосов из небытия,
будь они с географическими условностями или нет.

Перевод Игоря В. Зайцева
Translated by Igor V. Zaitsev

ЧЕТЫРЕ СТИХОТВОРЕНИЯ

Ален Елишевиц

Чёрные глаза (Продолжение)

Чёрные глаза отталкивают солнце с его самобытной симпатией.
За долю секунды запечатлевают мир вверх дном,
Чтобы сойти на экваторе. Когда в них вздымается массив гор,
Они обращаются спонтанно в ревностного фанатика,
Не скрывая пренебрежения ко всем любительницам пляжного отдыха
Со всей галактики. Чёрные глаза осваивают альт, размышляя
Про автобусы, а не скейтборды. Они приходят в клинику
Под вечер, представляясь вымышленным именем, и именуют своих будущих
Детей гласными непроизносимыми. Иногда плескаясь в обожании
За дурную славу, они вынуждены перевозить телефонные
Детонаторы. Чёрные глаза оценивают залпы сегодняшней ночи
С жутковатым предвосхищением. Я попросил их сделать так,
Чтобы по ним было проще читать. Я попросил их к чему-нибудь
Гладкому и прохладному магнитом свою мудрость приверстать.

Предметы ближе, чем они кажутся

Предметы ближе. Они показываются и не исчезают.
Кто-то говорит: «Зеркала», а мне кажется — сборочные цеха.
Разве вы не видели пресс-формы для термопластмассы?
Конвой кораблей Maersk, что Тихий океан опоясал?

На перемазанном сном рассвете миллиона миндальных
Деревьев множество предметов крутятся на веретёнах,
Придавая форму ветрам прядёным. Мой родной город
Плещется в буре из конфетти. По ночам улицы не подмести.

Я — стюард всего приземистого и тонкого.
В стопке блюдец слышу музыку всё ещё.
Тот вращающийся стул напоминает о тусклом офисе.
Мне нравится уют. Кухонные острова —
Место умиротворённого отдыха. Мой
Рецепт счастья строится на сыре и картофеле.

Стрижка

Сегодня у меня на ужин оленина,
Приготовленная пулей
И гипертоником-врачом.

В баре сидит женщина
С ресторанным лицом
В отражении чистого зеркала.

Под прямыми лучами солнца
Это лицо похоже
На диетический завтрак.

Она тянется за мохито
И подвигает ближе к себе
Для начала или рефлексии.

Стены моего номера
Хоть и изысканны,
Лишены подвижности.

Но вот женщина
Отпрянула в новизну
Номера другого мужчины.

Лоск её помады
Схлынул, в отличие от
Её жажды странствий.

Ночь — это медленное
Течение лавы, и, как
Застывшая лава, она черна.

С нижних этажей
Звуки азартных игр
Пульсируют.

Почему я здесь,
А не,
Скажем,

В кресле у парикмахера
Делаю что-то полезное
Или,

Если точнее,
Даю что-то полезное
Сделать с собой?

Ахматова № 5

Анна, мне больше нравится смотреть
На твой необыкновенный живот, твои
Голые белые пальцы, на бездыханное,
Словно чих, твоё удовольствие.

Освежёванный заживо твой зоопарк
Желаний обнажает тысячу
Клыков новизны в клетке
Моих малоопасных глаз.

Я молю о том, чтобы уложить тебя в бесстыдную ванну
Мечтаний, чтобы постигать тебя, пока
Твой образ не запечатлеется, не закрепится
На моей всесовершенной нужде.

Перевод Алёны Кондратьевой
Translated by Alyona Kondratyeva

ДВА СТИХОТВОРЕНИЯ

РС де Винтер

Яблоки прошлой зимы

Я не знаю, отчего мне приснились яблоки,
особенно эти,
старые, жухлые,
ступившие на путь увядания.

Одно из них было
самого странного из цветов,
оттенки утопичной радуги
запятнали верхний изгиб.

Они лежали на полке сердито —
их можно понять,
очевидно, их оставили без присмотра,
оставили дряхлеть, забыли
в каком-то старом прогнившем сарае.

Сон извернулся,
и яблоки стали моей грудью
опавшей,
всё такой же сердитой,
оставленной дряхлеть, забытой.

Мужчина
(я не знаю, кем он был,
я не увидела лица)
лежал подо мной,
подёргивая и оттягивая сжатыми губами,
посасывая мои сморщенные соски.

Они вытянулись
Обрюзгшие,
оставив красоту далеко позади,
и даже во сне меня передёрнуло от стыда
за то, что эти увядшие груди
были открыты взору.

Говорят, яблоки — искушение,
но я сомневаюсь, что тот мужчина был искушён.
Уверена, ему не доставило удовольствия
его волевое прислуживание.

Думаю, он умеломне показал,
чтобы я ни за что не забыла,
как угодила в красоты немилость.

Рутина

Восход.
Новый день.

Нет, не совсем.
День не нов, просто ещё один.
У неё небывает новых дней.

Она лежит на своей койке,
зашторив глаза от вторжения атомов,
и не желает двигаться.

Она знает, это — временная петля,
повторение избитого сценария,
всё того же представления,
бесконечного спектакля.

Она увидит всё те же лица
(если хоть кого-то встретит),
прочтёт всё те же клише
(знакомых всё лиц),
проделает всё те же движения
(жизнь на автомате).

Не будет новой музыки,
ни постепенных изменений,
ни поразительных удивлений,
ничего, не считая рутинной магии,
которую она творит во сне.

Она заставляет себя
пуститься в вальс монотонности.
Глаза открыты, одна нога летит мимо другой,
и она встаёт.

Она идёт в душ,
(самое место замыленным актрисам, как она),
там висит её привычный костюм,
готов к маскараду повседневности.

Глядя на обмякшие одежды,
она ступает в ванну,
со вздохом задёргивает шторку
и молится о том, чтобы
сжечь этот плащ, сжечь колготки,
надеть удобную обувь
и платье самой обычной женщины,
которой ей так хочется стать.

Перевод Алёны Кондратьевой
Translated by Alyona Kondratyeva

СЕМЬ МИКРОСТИХОТВОРЕНИЙ

Маргарита Серафимова

Зачем всё торжественно так?

Потрёпанное ветром море в дивном свете —
Планеты стяг;
Глубоко в сердце аромат сосен лучится ажурно.
Дует.
Прошлое прогнав, настало утро.

Прекрасный человек

Играют светотенью серые облака и саванна,
А посреди контрастов — чернь твоих глаз
На глубине лучезарна.
Тебе к лицу небесный атлас.

Глядя на холм, я увидела в нём
Что-то от рая.
Мелькнула чайки тень.

Виртуозное мастерство движения.
Рука человека
Отпускает.

Будущее идёт медленно,
Неся на плечах день.

Гора и лучи танцуют
В квантовом безмолвии.
Смотреть — сливаться в любви.

Великое море

Зелёное, грозное, готовое к смерти.
Ты любишь себя
Или падаешь с волнами.

Перевод Алёны Кондратьевой
Translated by Alyona Kondratyeva

ТРИ ПОЭМЫ

Марк Кессинджер

Муза Марди Гра

Она была так беззаботна.

Восседала в парке на скамье,
Словно Пенелопа на тахте.
Скрестив ноги в ковбойских сапогах,
Откинулась боком в духе родео,
Напоминая о лавровых листках.

Её завидели с карнавальной платформы:
Шляпа тронула улыбку, тени на месте,
Радугой излюбленных цветов
Схлестнулись в искренней фиесте.
Ловят её бусами с особым рвением,
Беззаботные, лишь бы её дотронуться,
Своим непрошенным вознаграждением.

Импровизированно рядят в праздничную корону
Королеве на рейчатом, кованном железном троне.

Одолженное освещение

Стою на парковке загибающегося супермаркета
И читаю в лучах одолженного
Освещения.
Я меня два тонких томика
От женщины, взявшей меня
Под руку-крыло своей музы

Она не говорила, что я буду таким
Полвека спустя
Единственным оставшимся в живых

У меня к ней столько вопросов.

Тогда, давно, мы говорили только обо мне.
Она собирала островки.

Она упражнялась
В кособокой компромата,
В которой я видел лишь изгородь.

Это была изгородь каморок,
Которую можно разобрать,
Лишь дожив до седых волос.

По крайней мере, здесь
Мы всё ещё
Вместе.

оладья, протекающий сироп

мужчина смотрит вниз
потом направо
стакан воды
покрылся бусинами холода
но на этом всё

другой мужчина смотрит в телефон.
официантка с трудом подходит к столику
администратор страхуется разбитой посудой.
клиент разглядывает счёт.

напротив него сидит ещё один.
широкий стол чуть ли не воет
от пустоты.
еду не несут.

парень отвлекается от телефона
официантка зачитала меню напитков
администратор встала, одёрнула блузку
один из гостей шарится в кошельке

а бусина воды висит, как и раньше
упрямо отказываясь
падать

Перевод Владимира Словесного
Translated by Vladimir Slovesnyy

ТРИ ПОЭМЫ

Ленни ДеллаРокка

Дорогуша

Я испытывал страсть к девушке
С веснушками и полными губами.

Я был ошеломлен ее женственностью,
А цвет ее волос

Терзал мои бедра,
Оставляя на них красные следы.

Она не видела моих леопардов,
Которые вспыхивали пламенем

Каждый раз, когда я слышал ее имя.
Вот в моей руке букет цветов,

Которые я достал в другой части города,
Чтобы одной ночью под созвездием Девы

Прочитать ей поэму, которая надолго запала в ее сердце
И открыла ее зеленые глаза.

В далеком 67-м она была воплощением огня и
беззаботности.

Я все еще мечтаю о ее устах.
Таких молодых и неумолимо

Бессовестных.

Незаметные наблюдатели

Мне стало страшно, когда Анастасия заявила, что будет позировать обнаженной.

Мне и Генри пришлось стоять на крыльце, несмотря на то, что это был его дом.
Июль был пиком того лета.

Мне хотелось кофе, но пришлось ждать.

Сквозь окно Генри и я наблюдали за работами Фриды Кало, которые украшали стены его обеденного зала, воплощая светопись и атмосферу Франции 19 века.

Анастасия спустилась по лестнице в красном полотенце.
Клара ожидала ее в гостиной с видеокамерой на плече.

Генри посмотрел вдаль и сказал, что собирается бросить курить, сделав вид, что это так просто сделать. Это прозвучало, словно один из пунктов его расписания между рубкой дров и посещением выставки гравюр в местном музее.

Он улыбнулся. Мне так показалось, но было темно. Анастасия сбросила полотенце. Она не была красивой, представив лишь невнятные плечи и кривые ноги, но она излучала странный эротизм, напоминающий момент, когда аромат манго уничтожает прелесть розы.

Клара обернула ее в пленку и сказала кататься по персидскому ковру, пока он меняла фокус под ритмичное щелканье красного огонька.

После этого она позволила нам войти, а Анастасия ушла наверх, чтобы одеться. Клара подала кофе и яблочный пирог.

Генри поднял одну бровь, словно актер, пытающийся заполучить себе долю славы.

Я остался на ночь, как и Анастасия.
После того, как мы прочли свои ужасные стихи, мы оставили все на столике и поднялись наверх.

Анастасия сказала: «Мне нравятся только девушки». После этого она проскользнула позади меня, снимая бюстгальтер. Я спал без одежды. Она сказала: «Выключи вентилятор на потолке». Я встал на кровати, чтобы потянуть за веревку, пока она наблюдала за мной, словно девушка, которая наблюдает за одиноким парнем в теплую летнюю ночь.

Слишком поздно для небес

Я смотрел в глаза моей жены, словно мужчина, который наблюдает за спящей женщиной, но в это время мы завтракали в Макдональдсе.

Мы говорили о Вестминстерском аббатстве и колесе "Лондонский глаз", как вдруг песня Джексона Брауна появилась из ниоткуда, заполнив ту часть моего сердца, в которой царит звенящая пустота.

Мэри говорит, что мы пойдем на пикник в Гайд-Парке, наблюдая за парнями, которые что-то шумно выясняют, запивая каждый аргумент пинтой темного эля.

Одному из них 22 года. Он потерял рассудок, влюбившись в девушку из офиса, которая проклинает заклинивший копир. Парень режет руку, засунув ее в еще не остывший агрегат.

Кровь видна на его рукаве.
На моем рукаве.

Мэри улыбается, рассказывая что-то о галерее Тейт, но я могу лишь кивнуть.
Сейчас я в своей старой квартире в тот день, когда Сюзан принесла вещи для стирки.
Проигрыватель играет Джексона Брауна.

Я говорю Мэри, что стеклянная площадка на высоте 433 метров над Темзой пугает меня до полусмерти… до той половины, которая сидит напротив нее в Макдональдсе.

Перевод Владимира Словесного
Translated by Vladimir Slovesnyy

Баллада о Лоле и Лотте

Томас Пекарский

Мы восхищались Мэрилин, боготворили Бетти Пейдж,
И утопали в красоте прелестной Вандербильт,
Не чаяли души в Диане, бежавшей от слепящих камер,
Провозглашали Лиз Тэйлор идеалом всю её жизнь.

А ныне, в наш век цифровой передачи
Так просто позабыть тех ярких звёзд,
Что озаряли сцену давным-давно,
Развлекая народ по всему миру.

Их было немало, но запомнились две
Талантливые дамы, чья слава живёт
В памяти переживших Золотую Лихорадку,
Их звали Лола Монтес и Лотта Крабтри.

Их жизни связал, казалось, один только случай,
Если вы не верите в выходки судьбы,
И что она решает, как нам быть, то вот
История о том, как они оказались сплетены.

В тысяча восемьсот сорок девятом толпа головорезов,
Не так давно уволенных из армии Закари Тейлора
После гордой победы в Американо-Мексиканской войне,
Двинулись в Калифорнию в поисках новых дерзаний.

Тысячи остервеневших кладоискателей
Бежали туда, богатство надеясь обрести
В недрах калифорнийской золотой жилы.
И вот, когда один из солдат споткнулся

О восьмикилограммовый самородок, они
Застопорили, прочесали местность и нашли ручьи,
Лощины, ямы и речные русла, что золотом полны.
Палатки развернули и ринулись его искать,

Самородки с пылью собирать. Пронеслась молва,
И город вырос как грибы после дождя,
С населением в тридцать сотен человек.
Основатели назвали его «Резкий и суровый»

В честь легендарного генерала, их героя,
Закари Тейлора. Несмотря на ссоры,
Шахтёры прекрасно вписались в их свору
И процветали всласть, пока власть имущие

Не решили ввести сбор за открытие шахт.
Горожане, слившись в едином порыве гнева,
Восстали и низвергнули с себя узы властей,
Посчитав налог хуже разбойничества и грабежей.

Они отделились от Союза и провозгласили
Свой непреложный суверенитет и независимость.
Великая республика «Резкого и сурового» —
Отныне их дом, они больше не станут платить налог.

Но гордая нация сбилась с пути и вскоре
Оказалась под крылом правительства США, когда
Калифорния всё-таки получила статус штата.
В этот солнечный полдень я навещаю «Резкий и суровый».

От людного лагеря ничего не осталось,
А золота и след простыл. Город исчез.
Вот старая кузница, всё ещё стоит
С мутными окнами под сенью паутин.

Заглянув внутрь, понимаю: она — музей,
Теперь здесь хранятся останки былых дней.
На столе высится наковальни остов,
На ней изготавливали дуги подков.

Мне кажется, эта та самая наковальня, куда
Лола поставила шестилетнюю Лотту — танцевать
И развлекать толпу восторженных шахтёров,
Которые свистели, хлопали и топали ногами,

Глазам своим не веря: откуда появился
Этот ангелочек? Неужто её послали
Сами небеса? Здесь было множество артистов,
Но Лотта легко затмевала каждого и всех.

Вот так эстафета перешла от Лолы к Лотте,
От учительницы к ученице, словно звёзды
Правильно сошлись. Подумать только! Всё случилось
В этом захолустном шахтёрском городке.

Что породило тесную связь между Лолой и Лоттой?
Чтобы это узнать, придётся отмотать время назад.
Лоттин отец, коммерсант, прогорел на Востоке
И решил искать новый дом, когда о золоте

Далёком весть разнеслась. Он двинул на запад, оставив
Жену, сынишку и Лотту, пока не устроится сам.
Недолго продлилась разлука, и вскоре они были
В Сан-Франциско, где мама, неравнодушная к театру,

Ходила смотреть все пьесы и представления,
Меж тем изучая подробно театральное дело:
Музыкантов, актёров, сцену, афиши —
Она отмечала в мельчайших деталях.

Она знала: у малышки Лотты талант —
Им нужно воспользоваться в полной мере.
Хотя отец не успел ещё добиться цели,
Он пригласил семью к себе, в Грасс Вэлли.

Грасс Вэлли и соседний Невада-Сити в те дни
Процветали, покоясь на километрах глубоких тоннелей,
В которых добывали золота на миллионы долларов,
Как и в устьях ручьёв, вымывавших руду из гор

И кварцевых жил, хранимых Матушкой-Землёй.
Жизнь была сурова в новом краю жестоком,
Без благ, к которым привыкли неженки с Востока.
Прелестная коммерсантка, миссис Крабтри,

Ведала пансионом на улице Милл, что всё так же
Стоит, восстановленный под старину, совсем как раньше.
Застыв перед ним и разглядывая веранду,
Я будто вижу Лотту, увлечённую танцем.

Несмотря на буйную и несдержанную публику,
Во времена Лотты были в ходу изысканные манеры,
И светским дамам пристало вдумчиво следить за новостями.
Мама отправила Лотту в театральную школу Грасс Вэлли,

Где расцвёл её талант, развившись на удивление рано.
С годами преданность миссис Крабтри Лотте не ослабевала
Ни на йоту. Нерушимые вместе, их души сплелись,
И даже после смерти мама придавала Лотте сил.

Появление Лолы на подмостках Грасс Вэлли
Было чрезвычайным событием. Сделав себе имя,
Графиня Лэндсфелда уже заслужила почётное
Место в новейшей европейской истории.

Лола была рождена в роскоши, её отец —
Офицер Британской армии, расквартирован
В сказочной Индии. Посреди шика и блеска,
Лола жила в раю, где небо всегда синее.

Эта юная девица без труда владела языками,
С ранних лет умея бегло говорить на хиндустани.
Избалованная высшим обществом и поблажками,
Она любила слушать джунгли и привыкла к яркости

Сочных цветов, пестрокрылых экзотических пернатых
И разным ритуальным древнеиндийским танцам.
Папа Лолы умер, а мама, ничтоже сумняшеся,
Нашла ему замену, выйдя за капитана Крейги

Аристократично шотландского происхождения.
Лолу было не унять, она дерзала непрестанно
Противоречить и грубить, привыкнув ко вниманию.
Вспыльчивый характер Лолы препятствия чинил

Всю жизнь. Но настало время получать высшее
Образование, и несмотря на стенания и плач,
Строгой Матерью посаженная на корабль,
Лола отправилась Англию покорять.

Её поселили к родителям Крейги в изысканный
Замок в Шотландии. Причалив в Лондоне, Лола
Открыла для себя новый, неведанный ранее мир
С прелестными мостовыми и колокольнями.

Лола терпеть не могла Шотландию с её сыростью,
Так непохожую на душистую Индию. Она вечно
Спорила и противилась молитвам и дисциплине,
За что была отправлена в Лондон жить с сэром Джаспером.

В Лондоне Лола совсем распустилась, взбодрившись,
И всё гуляла по кафе и магазинам сувениров.
Тогда Джаспер отправил Лолу закончить школу
В Бат, дабы отшлифовать манеры подопечной.

В детстве Лола и Лотта совсем не походили
Друг на друга. Лотта росла в скромном смирении,
А Лола — в окружении привилегий и изобилия,
Вбирала традиции европейской аристократичности.

Зато, несмотря на разницу в воспитании,
И Лола, и Лотта стали артистками,
Научившись взоры услаждать, и многим
В жизни полюбились за свой талант блистать.

В Лондоне Лола узнала, как построить империю
Обзавелась полезными знакомствами, друзьями,
А чтобы стать ещё успешней и милее,
Научилась важничать, ездить верхом и флиртовать,

А потом вышла замуж за мужчину по имени Джеймс.
Их брак недолго продержался, ибо Джеймс оказался
Казановой и Лолу бросил. Не горюя зря, она
Решила навсегда завещать свою верность театру.

Лотте, несомненно одарённой, не досталось
Никаких роскошеств. Она жила если не в бедности,
То на краю, не зная знати искушений. Училась
Лотта у осмоса, впитывая артистизм других.

В Лондоне Лола наняла учителя танцев
И уехала в Испанию отточить свой стиль и дух.
Вот только её добрая слава была омрачена,
И едкие сплетни проникли в светские круга,

Они породили какофонию скандалов,
Снежный ком которых разросся до небес.
Освистывая, гнали прочь Лолу горожане,
Раздосадованные её фривольным нравом:

У Лолы было немало любовников, как ни крути,
Часто мужчины перед ней устоять не могли.
Ни Клеопатре, ни Саломее, ни Джейн Мэнсфилд
Не сравниться с Лолой Монтес в притягательности.

Урождённая Элайза Гилберт, ирландских корней,
Лола Монтес назвала себя новым прозвищем,
Чтобы со сцены казалось, что она испанских кровей,
Но была слишком бледна, и с близкого расстояния

Любой мог разгадать её бесхитростные тщания.
К совершеннолетию Лола была пышно-миловидной,
С полумесяцами бёдер, кожей цвета слоновой кости
И чёрными волосами, падавшими на плечи лавиной.

Глаза цвета морской волны сияли, пленяли
Мужчин, которые, в них заглянув, уносились
В неведанные дали. Чаровницу повстречав,
Мужчины без памяти влюблялись в Лолу не раз.

У Лотты же были иные достоинства и внешность,
Её в отличие от Лолы, не интересовали
Ни стиль, ни влияние, ни светское общество,
Ни семья на первых порах. Одно лишь ремесло

Увлекало её. Благодаря прозорливой маме,
Лотту звали выступать в шахтёрские городки —
Вулкано, Сонора, Биг-Оук, Хэнгтаун и другие.
Большую часть времени они в дороге проводили.

Первые выступления Лотты проходили в захолустье
Перед несдержанной публикой шахтёрского городка
В одарённом зо́лотом крае, а Лола себя показала
Посреди шума и гвалта лондонских афишных фанфар.

Всё обходилось без соцсетей и телевидения.
Пресса пристально следила за Лолой, комментируя
Её скандальные романы, гневные выходки и талант.
И хотя публика не скупилась на бурные овации,

Критики из высшего света расходились во взглядах.
Одни были сражены её живостью и грацией,
А другие, пусть признавали её красноречие,
Рьяно перечили, что ей далеко до идеала.

Покинув Лондон, Лола порхала, как бабочка,
По Европе, выступая в Варшаве, Берлине,
Петербурге, Константинополе и даже Париже,
Иногда и перед монархами, купаясь в престиже.

Импульсивная и амбициозная, Лола стала
Вихрем, бурей. Но ей не хватило самодисциплины,
Чтоб стать всемирно известной балериной. Её девиз
Был таков: сначала любовь, ну а искусство подождёт!

Преданность Лотты таланту, напротив, не знала границ,
Она перенимала техники у лучших мастериц.
Многообразие её движений так и не смогли
Ни женщины, ни мужчины эпохи Лотты превзойти.

В Дрездене Лоле повстречался композитор Ференц Лист.
Роли королев Саксонии и Пруссии, Царицы
Даровали ей богатство и похвалы за границей.
Несмотря на своё положение в мире музыки

И несомненную популярность у европейских дам,
Ференц Лист влюбился без памяти. Лола разжигала
Пламя разума, читая ему Вольтера, Байрона
И Шекспира. Но за симпатии композитора

Боролись также графиня д'Агу и автриса Жорж Санд,
С которой сбежал на выходные в Париж музыкант,
За что Лола вызвала писательницу на дуэль,
Решив, что ногти явно лучше, чем расстрел.

Сведённый с ума запросами Лолы, Лист капитулировал,
Приказав слугам запереть её в чулане, пока удирал.
Освободившись, Лола перебила в доме весь хрусталь
И погрузилась в рыдания и горьких проклятий шквал.

Лотта ни с кем не встречалась и так и не вышла
Замуж, хотя предложения иногда поступали.
После выступлений она удалялась с мамой,
Пресекая попытки мужчин за ней поухаживать.

Само собой, у Лотты бывали конфликты — обычно,
Порождённые соперничеством между актрисами.
Бурлеск был в ходу, и зачастую в качестве нападок
Девушки пародировали друг друга на эстраде.

Немудрено, что по достижении совершеннолетия
Лола переехала в плавильный котёл Парижа, в столицу,
Связующее звено интеллигентов, знати и артистов.
Лоле было несложно сойти за свою и влиться в среду

Гениев и сумасшедших всех мастей и с ними породниться.
Она особенно понравилась неукротимому Дюма,
Написавшему про мушкетёров и Графа Монте-Кристо.
Он представил Лолу своим друзьям, чтоб ей помочь пробиться.

Лола стала брать уроки балета, чтоб отточить мастерство,
И по счастливой случайности попала в оперу «Лазарон».
Придирчивая публика решила, что хоть ей не по зубам
Высокие парижские стандарты, она приятна глазам,

Умеет азартно, рьяно отыграть и движется изящно.
А после Лоле повстречался Дюжарье, завидный журналист.
Пылкий, предприимчивый, доверенное лицо Дюма,
Он взял Лолу к себе под крыло в качестве содержанки.

Он представил девушку лучшим умам Парижа,
Познакомив с де Мюссе, Ламартином, Ламенне,
С Бальзаком — компанией без страха и упрёка,
И Лола засверкала у богов под боком.

Эти нувориши часто устраивали застолья,
Бесконечно ведя политические дискуссии в кафе.
Лола прогуливалась в роскоши садов Тюильри довольно
И искрилась энергией под ручку с щеголеватым Дюжарье.

Театральная карьера Лотты наметилась ещё в детстве.
К восьми рыжеволосая девчушка освоила джигу, рил,
И другие зажигательные танцы. С блеском в глазах
И лёгкостью в ногах, она жила на сцене, не жалея сил.

Миниатюрная кокетка с необычным и нежным смехом,
Лотта покоряла сердца зрителей с самых первых нот.
Словно бурлящий поток радости, она нашла призвание
В том, чтобы развлекать публику суровых рабочих городков.

Сценой Лотте служило всё подряд, будь то бочка, стол или грязь,
Она могла ловко и резво танцевать, несмотря дым густой.
А когда Лотта выходила петь в нарядном белом платьице,
Шахтёры ахали, восхищённые ей словно куклой живой.

Лотта приглянулась Робинсону, то был известный режиссёр,
Который пригласил малышку в Сан-Франциско. Но мама, миссис
Крабтри, была категорично против. Вместо этого некто
По имени Тейлор устроил им тур по шахтёрским рудникам.

Сперва отыграв в Рэббит-Крик, семья перебралась с коней
На мулов, иначе им не одолеть горные хребты.
На животных повязали ленточки для красоты.
Лотта выходила на сцену в Квинси, Гибсонвилле, Рич-Баре,

А также в Порт-Вайне, которых уже не отыскать на карте.
Лотту пристёгивали к мулу ремнём, а миссис Крабтри
С сынишкой в руках ехала в седле. Их сильные звери несли
По скалам отвесным в одном неосторожном шаге от смерти.

Они играли в салунах и деревенских трактирах,
Пропитанных солёным запахом копчёной ветчины,
С ситцем вместо кулис и скромными койками у стены.
Мама Лотты как-то поведала: чтобы поднять настрой

Перед выступлением она рассказывала байки порой.
Их путь лежал по рекам, весенним долинам и холмам
А также по лугам, заросшим подсолнухом и маком,
Медовые ароматы которых могли свести с ума.

В посёлках золотой лихорадки часто случались нападки,
Американцы с оружием в руках убивали мексиканцев,
А также нередки бывали повешения и схватки,
Так что Лоттиной труппе то и дело грозила опасность.

А вот Париж при свете дня пестрил иной картиной,
Населённый гениями и знатью разночинной.
Барон Ротшильд, Готье, Тальони и другие звёзды —
Лоле казалось, что воплотились все её грёзы.

Но та эпоха в жизни Лолы была недолговечна.
Всё рухнуло в одночасье, когда пылкого Дюжарье
Застрелили на дуэли, и он канул в небытие,
Щедро завещав Лоле свою долю в Пале-Рояле.

Так, будучи не без средств, Лола приехала в Баварию
Чтобы короля Людвига покорить своим очарованием.
Про его увлечение прекрасными дамами писали,
И немало, как и о любви к политике и искусству.

Лола времени зря не теряла, и, проскочив мимо стражи,
Ворвалась бурей в кабинет короля, занятого делами.
Людвиг был сражён на месте словно ударом молнии,
Раньше не встречав женщину столь дивно своевольную.

Лола подняла шёлковые юбки и пустилась в пляс.
Его взгляд блуждал, оглядывая нимфу, не таясь:
Голубые глаза, смоль волос, белоснежная кожа,
Тонкие черты лица и упругая пышная грудь.

Покорённый король от любви ночью глаз не мог сомкнуть,
И Лолу всюду представлял. Вскоре ей выпала роль
В королевском театре. Когда кулисы опустились,
В зале разразились восторженные овации.

Лола стала вхожа в царский совет по разным вопросам,
И всё её признали как королеву без короны.
Баварцы поначалу не возражали, но, к несчастью
Для Лолы, со временем их взгляды поменялись.

Людвиг вручил любимой особняк, где проводились салоны
Утопавшие в роскоши под прямым управлением Лолы.
Любовь короля к танцовщице не знала границ, но, представьте,
Народ обвинил Лолу, когда Людвиг отрёкся от престола.

На первых этапах своей карьеры Лотта переезжала
От одного посёлка к другому, несмотря на трудности.
Ей приходилось нести всю семью на своём таланте,
Иначе было негде жить и на всех еды не хватало.

Когда все рудники были объезжены не по разу,
Лотту потянуло в Сан-Франциско и к его соблазнам.
Ей нужен был такой бурлящий, неспокойный город,
Чтобы своему мастерству и ловкости дать волю.

Город постоянно расширялся, разрастался, расползался
Новыми театрами, барами и кабаре, а на улицах везде
Играли музыканты на жаре. Здесь часто ставили балеты,
Оперетты, экстраваганзы, комедийные шоу и бурлеск.

Лола приехала в Сан-Франциско умелой и изысканной
Артисткой варьете и сразу же понравилась толпе.
Она выступала тонко, легко и держала в репертуаре
Искусную пантомиму, песни янки и ирландский напев.

Лотта пела дискантом, переходя в меццо-сопрано,
И её голос — сладкий, звонкий, многогранный —
Было слышно из всех уголков концертного зала,
И каждый слог отзывался тонким и ясным смычком.

Театральный магнат, мистер Магуайер, принял Лотту
В свой престижный оперный театр, наградив её фортепиано
В знак признания. Малышку также ласково прозвали
«Ля Петит Лоттá» и «Калифорнийским бриллиантом».

В Мюнхене яркую Лолу любили и ненавидели.
Пока король и многие другие её боготворили,
Князь Меттерних, придворные и едкая пресса
Ни много, ни мало, заклеймили танцовщицу ведьмой.

Короля Людвига критиковали по всей Европе.
Когда он решил было дать Лоле гражданство, страну
Захлестнули ругань и буянства. Но монарх всё равно
Ей подарил подданство, доход, титулы и богатство.

В качестве благодарности за «художественную службу при
Дворе» Лоле выдали титулы Баронессы Розентальской
И графини Лэндсфелда. На её личном гербе красовались
Лев, золотой меч, красная роза и дельфин в серебре.

Она правила как королева, даря царское одобрение.
Людвиг не хотел слышать о ней ни одного плохого слова.
Даже враги признавали её мощное обаяние,
А страстные поклонники звали неукротимой Жанной Д'Арк.

Близкое знакомство Лолы с политиками разных стран
И вносимый разлад сделали из неё козу отпущения
Для всеобщего возмущения. Также она не угодила
Иезуитам, будучи приверженкой агностицизма.

Когда по Европе пронеслась буря реформ, Лола осталась
Ни с чем. Французские легитимисты, польские католики
И швейцарская конфедерация распространяли повсюду
Свою едкую пропаганду, чтобы добиться власти.

Бавария стала основным очагом революции.
Радикалы объединились против своего короля.
Людвиг и танцовщица выжидали, игнорируя их спесь,
Но когда Лола убедила его закрыть университет,

Разразилось восстание, на улицах начался протест.
Когда на королевский особняк напали демонстранты
Лола встретила эту опасность с напускным удальством,
Но студенты, кидая камни, кричали: «Наложница, прочь!»

Королю в итоге пришлось отречься от престола,
А у бедной Лолы началась полоса неудач.
Без власти и роскоши, в смертельной опасности,
Она бежала в Швейцарию для пущей сохранности.

Лотте тоже в жизни часто приходилось несладко.
В Сан-Франциско бывало голодно и зябко, а миссис Крабтри
Родила ещё одного малыша. Итого на плечах
Юной Лотты лежали три едока, не считая себя.

Конкуренция была весомой, молодых талантов —
Пруд пруди, и предприимчивая мама Лотты с боем
Доставала площадки для показов и премьер.
Иногда приходилось выступать на причале,

Где в морской бухте сотни кораблей могли ждать
Днями пассажиров и выгружать товар.
Комедианты, жонглёры, бродяги-менестрели,
И мимы выставляли напоказ, кто во что горазд,

И собирали мелочь с восторженных прохожих.
Лотта могла часами танцевать, показывать сатиры,
Баллады распевать, чтоб хоть немного заработать.
И пускай это было сложно, такой труд её не тревожил.

Оказавшись в Швейцарии, Лола нашла уютное гнездо,
А Людвиг, сложив полномочия, уцелел и был выслан
В очаровательное имение гулять на свежем воздухе,
И, оставшись без любви, трагично искать новый смысл жизни.

Сын Людвига, Максимилиан, заполучив корону,
Решил проявить щедрость и разрешил отцу назначить
Фаворитке жалованье. Будучи вновь обеспеченной,
Лола не скупилась на свои прихоти и развлечения.

При этом протестные настроения в Европе нарастали.
Луи Филипп был свергнут, повсюду появлялись радикалы,
Шли забастовки, и Лола превратилась в идеальную мишень
Для нападок, религиозного преследования и гнева.

Промышленная революция стала испытанием
Для престолонаследия, и народ восстал против дворян,
А развитие заводов и железных дорог привело
К общественным изменениям и разожгло великий пожар.

Лола оказалась на передовой, всегда под надзором прессы,
Которая шла за ней по пятам, как и верные папарацци.
Когда Лола уехала из Мюнхена, журналисты-ищейки
Нашли письма от революционеров среди её вещей.

Несмотря на проживание в роскошных апартаментах,
Лоле было не спрятаться от общественного внимания.
Фигляр по имени Папон развернул против Лолы компанию
И написал книгу с напраслиной аж на трёх языках,

Обвиняя её в глупости, колдовстве и других грехах,
Будто бы графиня меняла ухажёров как перчатки
И спускала деньги королевской казны на сладости и чулки.
Лола парировала нападки, назвав Папона дураком

И написала книгу, защищая себя и короля,
Мол, у монархов случались фаворитки во все времена.
Но почувствовав от перипетий себя совершенно пустой,
Лола вернулась в Великобританию в надежде на покой.

В карьере Лотты не встречалось таких испытаний.
Её выступления всегда встречал радостный крик,
Будь в программе хоть полька, хоть хорнпайп, хоть флинг,
Когда она танцевала для шахтёрских городков

И на камерных площадках Сан-Франциско.
Лотта умела вызывать восхищение каждым
Движением. Она была легка как паутинка,
И могла изобразить и ирландца, и янки-моряка,

И строгого британца, и даже афроамериканца.
Она научилась играть на банджо и стоять во главе
Чернокожего ансамбля, распевая Такие баллады,
Как «Бык и старик Дэн Такер» южной публике на радость.

Театров было мало, а актёров и трупп — не счесть,
И когда о серебре в Неваде разнеслась по краю весть,
Все устремились в Вирджинию-Сити, южный Авалон,
Уютно спрятанный в долине Уошо среди гор.

Сьерра часто подвергалась нападкам Пайютов, но артистов
Этим было не смутить. В набитых под завязку поездах
Им удалось ущелье Юба укротить. В местных городках
Ждала пришельцев другая опасность — сильный западный ветер,

Который сдувал целые дома, обрушивая на крыши
Ливни древесины и песка, спускавшиеся с круч.
Тем не менее, в горах лихорадочно рыли тоннели,
А азарт и риск превышали все мыслимые пределы.

Лотта терпела все тяготы с верными товарищами,
Такими как ЛаФонт, который мастерски освоил тромбон,
Аккордеонным профи по имени Кин и мамой, миссис Крабтри,
Которая могла сыграть на треугольнике и приободрить.

В Лондоне Лола открыла салон, но за любым её шагом
Пристально следили нюхачи-писаки. Повсюду
Продавались веера, табакерки, кружки с её лицом,
Так как Лола Монтес стала образцом новой изящной моды.

Она проводила время за сочинением длинных писем
И репетировала пьесу о своих баварских днях,
Чем неустанно восхищала свиту. Молодой офицер,
Лейтенант по имени Хилд, сражённый её акцентом,

От страсти ум потерял и вступил с ней в любовную связь.
Не сумев совладать со своим покорённым сердцем,
Хилд попросил её руки и женился, не принимая в счёт,
Что предыдущему ухажёру Лола стоила королевства.

Тогда Лолу обвинили в двоебрачии, предположив,
Что она так и не развелась с бывшим мужем. К счастью,
Недостаток доказательств сыграл ей на руку. Тем не менее,
Устав от гонений, они с Хилдом укатили во Францию.

Не сомневаясь в масштабах таланта Лотты, миссис
Крабтри решила осваивать новые горизонты,
И они отправились за славой в сторону Нью-Йорка.
Любимица Калифорнии, Лотта присоединилась

К ансамблю варьете, который выступал с танцами,
Игрой на банджо, популярными песнями и фарсом.
Отыграв пару ночей в Нью-Йорке, Лотта уехала в тур
По Среднему Западу, переходя из варьете к театру.

Артистка колесила по привычной схеме — от Питтсбурга
до Цинциннати, через Буффало и Филадельфию,
А там по южным сценам. Программа была непростая,
И Лотта учила роли в поездах, отдыха не зная.

Она представала то истинной дамой, то хулиганкой
На сцене, и, стремясь к идеалу, овладела шарманкой.
В письме одной подруге Лотта как-то рассказала,
Что её называли «сенсацией театрального зала» —

И совершенно не зря. Бережливая миссис Крабтри
Умела нажиться на любой достойной деловой идее
И не преминула вложиться в недвижимость, экономя
Средства на будущее Лотты и пропитание для семьи.

Лола с мужем бежали от закона. По Франции,
Италии, Испании скитались влюблённые.
Хилд был от Лолы без ума, но ожесточённые
Публичные ссоры знаменовали начало конца.

Лола жила в страхе экстрадиции за двоебрачие,
А Хилд терпел бесконечное порицание, понимая,
Что плата за любовь звезды была равнозначною.
В его распоряжении было семейное наследство,

Которого хватало, чтобы обеспечить Лолино кокетство.
Хилд осыпал её бриллиантами форменно безупречными,
Но когда пришли плохие новости от адвоката Лолы,
Он, разозлившись, бросил жену одну и умчался в Барселону.

Однако вскоре Лола его простила и они помирились.
В перерывах между руганью и несчастьем их переполняло
Животной страстью. От Лолы не в силах оторваться,
Хилд мог с ней на вечеринках и в казино появляться.

Опасаясь обвинений в двоебрачии, молодожёны
Умчались в Париж. Как-то раз Лола явилась в оперу
На балет «Богиня фей», но благодаря вуали тугой
Ухитрилась остаться незамеченной Жорж Санд и Гюго.

И всё же, крах был неминуем. Вечно под прицелом прессы,
Хилд не выдержал положения беглеца, давления,
Незаконного брака и семейного осуждения.
Он начал много пить, стал вечно зол и безрассуден.

Окончательно Хилд сбежал после одного случая,
Произошедшего во французском шато. Служанка
Невезучая по просьбе хозяина достала вино,
И сразу ему принесла, нарушив пары покой,

За что была Лолой отчитана и побита кнутом.
Хилд, ошалев от очередной истерики жены,
Решил спасаться бегством, покинув её навсегда,
После чего их брак был упразднён решением суда.

Лотта попрала традиции, импровизируя мастерски.
В ней отзывались буйство и свобода атмосферы,
Царившей в стране после гражданской войны, вдохновляя
На произвол и веселье. Купаясь в хвалебных отзывах,

Лотта приезжала то в Бостон, то в Нью-Йорк, а в "Арче",
Филадельфийском уличном театре, привела толпу в восторг
Продирижировав оркестром, не поспевавшим в такт её ног.
Музыканты Лотте посвящали польки, мазурки и марши.

В новой пьесе под названием «Юная сыщица»
Лотта играла ни много ни мало шесть персонажей.
Она курила на сцене, играла старуху-кормилицу,
И, дурачась, изображала мальчишек, измазанных сажей.

Лотта вернулась в Калифорнию в конце шестидесятых,
Когда между Западом и Востоком пошли поезда.
В Уошо настало время богатых, утончённых театров,
Лошадиных повозок, бриллиантовых брошек и модных шляп.

Лотта нашумела в постановке «Светлячка», показав
Редкое презрение общепринятым законам вкуса.
Разглядев в таком ажиотаже для себя одни плюсы,
Она покорила публику своим видением искусства.

В кипящем Сан-Франциско был в ходу акробатизм,
И очень пригодился Лоттин дерзкий артистизм.
Играя маркизу, она стучала в малый барабан,
И в пьесах умела передать истинный дух мелодрам.

Потенциальных любовников было хоть отбавляй,
Но, удручённая бегством очередного мужа,
Лола решила отныне сама обеспечить себя —
И пусть умение танцевать ей снова послужит.

Она вернулась упражняться в школу балетных танцев,
Но случилось несчастье, и Лолу сразила испанка.
Тогда она впервые посмотрела смерти в лицо
И потеряла в неравной борьбе вес и часть волос.

Встав на ноги, Лола снова оказалась в центре внимания,
И общаясь со знакомыми поняла, что индустрия
Развлечений в Новом Свете потенциала полна,
И нет лучше места, чтобы начать с чистого листа.

Лола приняла решение пуститься в гастроли по штатам.
Её внимание привлёк Финеас Барнум, которому она
Написала письмо, но тот скорее интересовался
Певчей птичкой Енни Линд и её туром легендарным.

Наконец, Лола отправилась на пароходе в Новый Свет,
Чтоб получить известность артистки и политактивистки.
Но дурная слава шла за ней по пятам, и Лола прослыла
«Успешной скандалисткой» на юге и в Нью-Йорке и Бостоне.

Ей было не сбежать от ярлыка роковой красотки,
Которую сопровождали шумиха, страсть и жестокость.
Талант Лолы то и дело затмевал очередной скандал.
Американцам такая вздорность была в новинку,

И журналисты регулярно писали про её "перчинку",
Аппетитные формы, чарующий взор и миловидность.
Лола, очевидно, одевалась лишь по последней моде,
И умение соблазнять было у неё в природе.

Несмотря на необычайную харизму Лолы, редакторы
американских газет её критиковали и публиковали
Нелестные карикатуры об их с Людвигом вояже за рубеж,
Продавая унизительные меццо-тинто и литографии с шаржем.

Премьера Лолы на Бродвее прошла с аншлагом,
В театре не осталось мест. Однако её танцу не доставало
Координации, и за кулисами Лола обвинила музыкантов,
Приказав оркестру отныне следить за темпом её пуантов.

В Вашингтоне Лоле оказали теплейший приём,
В концертных залах бывало по семь десятков гостей.
Она посещала все основные мероприятия
В красном атласном платье и прелестной шляпке без полей.

Дальше она отправилась в Новый Орлеан, Бостон, Сент-Луис
И снова Нью-Йорк, где выступала при полных залах,
Царским красноречием пылая. Покровители, в целом,
Были довольны, и лишь изредка Лолу клеймили фривольной.

Лола заинтересовалась богатеющей Калифорнией,
В надежде чувствовать себя на Западе попросторнее.
Выступать в Сан-Франциско было непросто — не публика,
А куча-мала. Одни обожали, другие могли освистать,

Но Лола продолжала самозабвенно выступать
С пьесой про шквал невзгод, пережитых с баварским королём.
Вскоре она полюбила мужчину по имени Халл
За забавные рассказы и либеральные взгляды.

Они поженились, на этот раз законно, ибо Джеймс недавно погиб.
Халл взял на себя уход за Лолой, рекламу и агентские торги.
Покинув Сан-Франциско, они впервые дали представления
В Сакраменто, Мэрисвилле и других городах на пути к Грасс Вэлли.

За экипажем Лолы и Халла всегда следовала слава,
К несчастью, в том числе дурная. Прибытие звёздной пары
В Грасс Вэлли распалило печи сплетен, отвлекая шахтёров
От непосильного труда и тоннелей, не видевших света.

В квартале от центра города Лола купила себе дом
И, приведя его в божеский вид, сделала своим гнездом.
По счастливой случайности, а может, по воле судьбы,
Юная Лотта жила всего лишь в паре минут ходьбы.

Я стою во дворике этого дома с историей —
Теперь в нём холистическая школа и лектории —
И представляю себе идиллию славных прошлых дней,
Где Лола развлекает и учит всех, кто обратился к ней.

Грасс Вэлли лежит у подножия залитой солнцем Сьерры
С кристально чистой водой ручьёв, вспышками диких цветов,
И высокими соснами с ароматом свежего воздуха.
Здесь была золотая столица мира с россыпью рудников.

Лихорадочный золотой спрос породил дичайшую смесь:
Образованные идеалисты, знатоки культуры и артисты,
Выпускники Гарварда, проповедники, трудяги из Китая,
Разбойники, мексиканцы и индейцы — здесь все перемешались.

Лоле нравилось слушать болтовню на разных языках
И от невзгод отдыхать. Здесь ей удалось найти свою точку опоры,
И пускай некоторые матроны по-прежнему звали её
Гулёной и распутницей, Лола даже не глядела в их сторону.

Лолу тогда мало интересовали выступления,
Но публика мечтала увидеть её Паучий танец,
Так что она дала представления в Национальном театре
Даунивилла, Неваде-Сити и паре других городков.

Во время перфомансов шахтёры глядели, разинув рты,
Как Лола кружится по сцене, бросая пауков неживых,
Мечется и топчет их, словно пытаясь пожар затушить.
Поклонники Лоле кидали самородки, букеты, часы.

На рождество Лола закатила щедрую вечеринку,
Играла на мелодионе, пела свободолюбиво
В бархатном алом платье и блеском икристым в глазах,
Отражавшимся от рубинов на тонких запястьях.

Лолин дом превратился в центр культуры, будто музей,
Где можно было встретить русских, немцев и польских князей.
На полках стояли шахматы, книги из Парижа и Лондона,
А в гостиной часто раздавались звуки скрипки и гармони.

Дети часто ходили в школу по соседней тропе,
А после уроков Лола обычно звала их к себе.
Она призывала детвору показать себя во всей красе,
И то и дело останавливала взгляд на милой Лотте.

Та умела безупречно выдержать такт и спеть так,
Что у всех вырывалось лишь «Ах!». Рыжеволосая,
Бойкая Лотта стала Лоле как дочка, развитая
Не по годам, она без труда запоминала все строчки.

Миссис Крабтри, переживая за Лотту, не разрешала ей
Уходить далеко от дома, но всё же сделала исключение
Для Лолы, которая предложила девчушке обучение.
Они проводили вместе много времени, и Лотта

Начала учить балетные па, фанданго и флинги,
Узнала, как распевать баллады и ездить верхом,
И распустилась нежным цветком у Лолы под крылом,
Которая была рада стать учительницей для малышки.

Когда Лола приехала в «Резкий и суровый», где театрально
Юная протеже станцевала на знаменитой наковальне,
Миниатюрная Лотта уже умела себя показать
И, согласно Лоле, могла хоть сейчас ехать Париж покорять.

Отношения Лолы с Халлом покатились под откос,
Тот запил нещадно и стал тощ. Будучи астматиком,
Он страдал от вездесущей пыли с раздробленной руды,
Которая, забив лёгкие, привела к инвалидности.

Лола поставила Халла на ноги, но потом развелась,
После чего у неё настал довольно странный период жизни,
Когда она писала пачками письма писателям мистицизма,
Верила плутам и уделяла время трансцендентности практикам.

Лола ездила в девственно-чистые сосновые леса,
Где чтению книг и медитации посвящала себя.
Мрачные духи прошлого и горькие сомнения
Заставили её признать одно неприятное мнение:

Как когда-то в Париже о ней сказал Дюма, для любого
Влюблённого мужчины, она — что проклятие, анафема.
За Лолой тянулась вереница несчастных мужчин, почти все
Из которых пали, не считая немногих вроде Листа.

Лоле стала свойственна непривычная двойственность:
Представляясь графиней Лэндсфелда и покровительницей
Местных искусств, она любила бывать у себя дома
И что-то сажать в саду, чувствуя себя в своей стихии

В близи медведя на цепи, тропических птиц и собаки любимой.
Земля ей дарила успокоение, и, трудясь в грязи, Лола
Занималась саморефлексией. Но, как известно, шоу должно
Продолжаться, и настала пора в австралийский тур собираться.

Проведённое с Лоттой время начало приносить плоды,
И ученица начала уверенно делать первые шаги.
Лола хотела увезти малышку с собой в Австралию,
Но миссис Крабтри ей отказала, успев забронировать

Тур по шахтёрским городкам с одной проверенной труппой.
Несложно было предсказать беспокойной мамы реакцию —
Она не готова была отпустить Лотту в далёкие края
Под присмотром распущенной дамы с сомнительной репутацией.

На том они распрощались, и Лола уехала покорять
Австралийский континент со своим привычным азартом,
А Лотта завоевала любовь шахтёров, которым казалась
Милейшей малышкой-феей из сказок, излучающей радость.

После Австралии Лола вернулась на Восток США,
Распрощалась с театром и начала писать мемуары.
Какое-то время ей удавалось давать семинары,
Но общественное презрение омрачало её жизнь,

И вскоре, став затворницей, она была вынуждена продавать
Свои драгоценности и сапфиры, чтобы было, где спать.
Лола умерла в тридцать девять лет одинокой, поломанной лирой
Самой восхитительной и противоречивой женщиной в мире.

Лотта же стала настоящей звездой, хотя и не мечтала
Соперничать с шекспировскими актрисами, она оставалась
Американской любимицей. Она всё время выступала,
Колеся по стране с юга на север и с востока на запад.

Лотта была среди тех немногих артисток, которых
Ждал аншлаг во всех городах — её обожали. И хоть
Многие с ней состязались, она не нажила врагинь. Никого
Так не любила толпа, как неповторимую Лотту Крабтри.

Лотта ушла со сцены в сорок пять, когда её карьера
Оборвалась раньше времени из-за неудачного падения.
Её мама умерла, но благодаря своей коммерческой жилке
Успела помочь дочери разбогатеть. Лотта обзавелась

Особняком в Нью-Джерси, занималась благотворительностью
и прожила до семидесяти шести в гармонии с собой и миром,
Ни о чём не жалея и нежно лелея воспоминания о том,
Как приносила людям радость благодаря своему таланту.

Наша склонность к артистизму обязана многовековому
Переносу генов от одного поколения другому.
Спорадически гении встречаются по воле случая
И делятся тайнами с учениками и ученицами.

Однако, вдали от столиц искусства, Грасс Вэлли — последнее
Место, где ждёшь судьбоносной встречи двух великих женщин.
Лотта и Лола всё так же сияют, две звезды нетленные,
И кружат вокруг друг друга где-то на просторах вселенной.

Перевод Алёны Кондратьевой
Translated by Alyona Kondratyeva

АВТОРЫ И СОЗДАТЕЛИ ВЫПУСКА

Ворон, Евгений. Писатель. Художник. Фанат жанра ужасов и эзотерики. Москва, Российская Федерация.

Гленнон, ТиДжей. Медсестра. Начинающая писательница. Колорадо спрингс, Колорадо, США.

де Винтер, РС. Поэтесса. Цифровая художница. Публикации в антологиях включающие Uno (Verian Thomas, 2002) и New York City Haiku (NY Times, 2017). Фэрфилд, Коннектикут, США.

ДеллаРокка, Ленни. Основатель и ко-издатель журнала Южной Флориды *SoFloPoJo*. Публикации в более 300 журналах. «Фестиваль опасных идей» — его новый сборник стихов (Unsolicited Press). Делрей-Бич, Флорида, США.

Елишевиц, Ален. Автор книги *The Widows and Orphans Fund* (SFA Press) и трех сборников стихов. Публикации в *River Styx*, *Nimrod International Journal*, and *Water~ Stone Review* и других журналах. Обладатель приза Североамериканского Обзора Джеймса Херста. Норристаун, Пенсильвания, США.

Зайцев, Игорь В. Главный редактор *Night Picnic*. Биолог. Профессор городского университета Нью-Йорка. Автор двух сборников стихов: Я спешу жить и Отбой в раю. Нью-Йорк, Нью-Йорк, США.

Кессинджер, Марк. Поэт, новеллист, редактор и бывший президент консульства писателей Хьюстона. Лауреат стипендии художественного изложения Кливлендского государственного университета. Кинвуд, Техас, США.

Ковен, Джонатан. Публикации в *American Literary*, *Toho Journal*, *Gravitas*, and *Paragon Press' Echo Journal*. Филадельфия, Пенсильвания, США.

Кондратьева, Алёна. Выпускница Уральского педагогического университета. Переводчик и редактор. Франция.

Кременс, Таннер. Студент юридического факультета. Писатель. Коллекционер драгоценных камней. Энтузиаст отдыха на природе. Цинциннати, Огайо, США.

Мелин, Ханна. Писатель. Бывшая учительница грамматики при корпусе мира. Редактор журнала *The Cypress Dome*. Изучала художественное изложение при Университете Центральной Флориды. Публикации в *Big Muddy*. Даллас, Техас, США.

Петерсен, Лаура Л. Начинающий писатель со степенью магистра изящных искусств от Тихоокеанского Лютеранского Университета в Такоме. Публикации в *Wanderings Magazine* и *Red River Review*. Лэйси, Вашингтон, США.

Сарийев, Камил. Переводчик. Писатель. Баку, Азербайджан.

Серафимова, Маргарита. Кандидат на премию Пушкарт и финалист девяти поэтических соревнований. Автор четырёх сборников стихов на болгарском языке. Публикации в *Nashville Review*, *LIT*, *Agenda Poetry*, *Poetry South*, *London Grip* и многих других журналах. Лондон, Великобритания.

Словесный, Владимир. Переводчик и эксперт в сфере военной техники. Закончил Военный Университет МО РФ в Москве. Москва, Россия.

Стампо, Гордон. Редактор и художественный директор Ночного Пикника. Выпускник Кентского государственного университета. Иллюстратор. Премированный модельер. Нью-Йорк, Нью-Йорк, США.

Стейнфилд, Дж. Дж. Поэт. Писатель. Драматург. Автор двадцати книг (пять сборников стихов, тринадцать сборников рассказов, два романа). Шарлоттаун, Остров Принца Эдуарда, Канада.

Уильямс, Оксана. Редактор Ночного Пикника. Выпускница Иркутского политехнического университета. Библиофил. Преподаватель математики Американской международной школы Бухареста. Бухарест, Румыния.

Френсис, Касс. Поэтесса. Писательница. Выпускница университета центрального Арканзаса. В настоящее время студентка техасского технологического университета. Публиковалась в *Drunk Monkeys* и *the Shore*. Ла́ббок, Техас, США.

АВТОРЫ ПРЕДЫДУЩИХ ВЫПУСКОВ

Пинил Алден • Самуил Дж. Аллан • Эдвард Ахерн Дуглас Бальмен • Мэдс Бохан • А. К. Бохлебер Тори Брыль • Евгений Ворон • Марайя Вудленд Макс Гальпер • Д. С. Гонк • Лора И. Гофман Гэрри Р. Грэй • Джон Грэй • Франк Даймонд Лесли Дайнни • Алекс Дако • Кэрэн Даунс-Бартон РС де Винтер • Уильям Дореский • Брайли Дуэйн Джонс Робин Вигфуссон • Рич Глиннин • Игорь В. Зайцев Стив Карамитрос • Кайер Кёртин • Гарри Кидд Якоб Клейн • Алёна Кондратьева • Мэри Элиза Крэйн Кэйлин Мишель Коттен • Натали Кая Кристиансен Ээрон Лауклин • Андрю Лафлеш • Джеми Леондарис Сьюзи Литтл • ЛиндаАнн ЛоЩяво • Джеймс М. Линдсэй Пол Луйкарт • Симина Лунгу • Мэттью Лэйн Эрик МакЛаклин • Лора Маньюалидис • Камран Мутлеб Дэйви Мэлони • Джозайя Олсон • Винсент Оппедисано Элизабет Паксон • Хайме Паниаква • Джина Папини Рэйчел Энн Парсонс • Кристофер Пендлтон Джозеф Пити • Ричард Райземберг • Франк Ривера Джошуа Робинсон • Франк Роджер • Брайан Ростен Лиза София • Гордон Стампо • Дж. Дж. Стейнфилд Алекс Стиарнс • Травис Стифенс • Патрик тен Бринк Семён Тертычный • Сибил Уилен • Джак Уилдерн Кэрил Гобин Ульрих • Кристофер Уильямс Джейсон Уоллис • Ким Уэлливер • И. В. Фарнсуорт Фейетт Фокс • Роберт Цисла • Иван Джеймс Шелдон Брайан Эдвард Элтон

Subscribe Now!

Yes! I would like a subscription to *Night Picnic Journal*

☐ One Year Subscription (3 Issues) for $35.00 (Libraries $45.00, Foreign Orders $55.00)

Name:

Shipping Address:

City: State and Zip Code:

Email:

☐ Yes, please send me updates, newsletters, and offers

☐ No, please do NOT send me updates, newsletters, and offers

Payment Type: ☐ Check ☐ Money Order

Please mail this form & payment to:

Night Picnic Press LLC
P.O. Box 3819
New York, NY 10163-3819

For single print copies ($15) and digital versions ($5), please go to www.amazon.com or **the Kindle store.**

We are grateful for donations of any amount. It supports the publication of the journal.

Подпишитесь !

Да, Я подпишусь на журнал *Ночной Пикник*

☐ Годовая подписка (3 номера) $35.00 (для библиотек $45.00, за пределами США и Канады $55.00)

И. Ф. О.:

Почтовый адрес:

Город: Штат и индекс:

Email:

☐ Да, мне можно высылать письма с информацией о *Ночном пикнике* и его дальнейших публикациях

☐ Нет, мне не нужно никакой дополнительной информации о *Ночном пикнике*

Вид оплаты: ☐ Чек ☐ Money Order

Эту форму и оплату вышлите по адресу:

Night Picnic Press LLC
P.O. Box 3819
New York, NY 10163-3819

Любой печатный ($15) или электронный ($5) номер журнала можно приобрести на серверах:
www.amazon.com и Kindle store.

Мы будем благодарны за любые благотворительные пожертвования. Они поддержат будущие публикации нашего журнала.

Made in the USA
Coppell, TX
06 August 2020